JÉSUS CHRIST
CHEMIN DE NOTRE FOI

BERNARD REY

Jésus Christ chemin de notre foi

LES ÉDITIONS DU CERF
29, bd Latour-Maubourg, Paris
1981

ISBN 2-204-01636-5

Ayons les regards fixés sur celui qui est l'initiateur de la foi et qui la mène à son accomplissement, JÉSUS.

Hébreux 12, 2

INTRODUCTION

Quand on demande à des chrétiens comment ils se définissent ou se situent, la réponse prend souvent la forme d'une confession de foi : « Pour moi, être chrétien, c'est croire en Jésus Christ. » Peuvent suivre alors diverses explicitations : croire en Jésus qui est le Fils de Dieu, croire que Jésus est le Sauveur des hommes... Spontanément le chrétien se définit par un *credo,* hérité de sa tradition et dont la formulation, nous le savons, fut adoptée au cours du IVe siècle.

Ce repère historique montre, à lui seul, que chaque génération de chrétiens doit s'approprier dans son langage le donné de la foi, reçu des temps anciens. S'approprier ne signifie pas seulement donner son accord à une formulation, mais lui conférer un sens, établir une relation entre ce qu'elle énonce et ce qu'elle annonce : ce qui est offert à vivre au sein de la foi. A chaque époque, les chrétiens ont à réduire la distance qui existe entre les énoncés traditionnels et les mots à travers lesquels, au sein de leur culture, ils expriment leur expérience humaine. Cette tâche est essentiellement à effectuer ensemble, en Église.

Donner vie à son credo n'est pas seulement affaire de recherches d'expressions qui peuvent susciter « des brassées de confessions de foi », car la foi n'est pas d'abord adhésion à des vérités, elle est une certaine manière d'exister en référence à Jésus Christ. Avant d'être adhésion intellectuelle à des croyances, elle est engagement total de la personne, décision de marcher vers Dieu à la façon de Jésus de Nazareth.

En écrivant ce livre, je désire me mettre au service de la recherche des chrétiens, de plus en plus nombreux, qui veulent donner vie aux mots de leur foi, les rendre vivants de leur vie. Dans mon travail de théologien, en de nombreux enseignements aux formes diverses ou en accompagnant des groupes de réflexion, je me suis constamment trouvé en présence de croyants vivants qui n'arrivaient plus à habiter le langage de leur foi, parce qu'ils ne percevaient plus l'emprise de ses mots sur leur existence ; ils ne voyaient plus dans les énoncés de leur foi la vie croyante qui leur avait donné naissance. Les mots étaient devenus étranges, incapables de servir la communication entre les croyants ; ils étaient devenus semblables à des branches mortes. Cette situation est grave. Certes l'amour et la foi ne se réduisent pas à des mots, mais nous savons bien qu'un amour et une foi qui n'ont plus de mots pour se dire, se dévitalisent peu à peu, et risquent de mourir. Comme l'amour, la foi vit de se communiquer, du don qu'elle fait d'elle-même.

La meilleure façon de favoriser la vie de la foi et de son langage est de rappeler que ce langage est l'expression d'une expérience essentielle, en quoi consiste la foi, à savoir l'événement d'une rencontre avec Jésus Christ. C'est de cette rencontre que nous voulons témoigner quand nous proclamons : « Je crois ! » Par quels chemins parvenons-nous à cette rencontre ? Chacun a son chemin : ce peut être celui d'une laborieuse fidélité dans un christianisme d'origine familiale, ce peut être une conversion brusque ou le désir de devenir un croyant responsable après des années d'un comportement conforme à des habitudes culturelles. Mais, quel que soit le chemin emprunté, nous sommes tous appelés à faire cette rencontre et à la renouveler, quand les préoccupations de la vie et les urgences du quotidien recouvrent peu à peu en nous la source qui ne demande qu'à couler, mais à laquelle nous avons cessé de porter attention. Quand tout est bruit et stridence, quand tout est course effrénée, comment écouter le chant de nos profondeurs et le silence qui en nous veut parler ? Comment croire à ce souffle qui nous traverse, et prêter l'oreille à la voix qui ne cesse de murmurer : « Si tu savais le don de Dieu. »

Désireux de rendre une sève aux mots de la foi, ce livre veut faire retour à l'essentiel de l'existence chrétienne, et nous situer d'abord en face du Témoin, en qui la vie même que Dieu nous partage a pris chair, Jésus de Nazareth. Nous ne nous référerons pas à Jésus comme à un être du passé, mais, enracinés dans notre foi au Ressuscité, nous demanderons aux premiers écrivains chrétiens de nous redire qui a été Jésus de Nazareth. Ce sera l'objet d'une première partie où seront rassemblées les données majeures que la science biblique permet de recueillir aujourd'hui sur *l'itinéraire de Jésus.* Au début de notre démarche, le point sur lequel notre foi sera provoquée sera l'authenticité humaine de Jésus. Pour les disciples, cette authenticité était un donné immédiat : Jésus leur est apparu comme un compatriote galiléen, un juif pieux, un maître. Pour nous, après deux millénaires de christianisme, la figure humaine de Jésus a été éclipsée par la gloire de sa divinité. Malgré la fermeté des formulations conciliaires, insistant vigoureusement sur la vérité humaine de Jésus, les Églises ont eu tendance à édulcorer cette authenticité. Par ce retour à l'itinéraire de Jésus, nous pourrons rendre un visage d'homme au Christ de notre foi. Par la même occasion, nous entreprendrons de marcher avec les disciples afin de les suivre dans leur découverte du mystère de Jésus que n'épuisent pas les explications humaines.

A l'itinéraire de Jésus fera donc suite *l'itinéraire des disciples*[1]. Nous confessons que Jésus est « vrai Dieu et vrai homme ». Quand nous rencontrons des athées ou des israélites, nous pressentons ce que notre foi peut avoir de scandaleux et de fou. Mais le plus souvent l'habitude, ici encore, a fortement émoussé ce qui, au dire même de saint Paul, est « folie pour les païens et scandale pour les juifs ». Suivre le cheminement des premiers disciples, juifs fervents et ardents monothéistes, c'est se donner la possibilité de découvrir une expérience vitale sous les mots de notre foi confessant la divinité de Jésus et sa fonction de Sauveur des hommes. Qu'est-il arrivé aux disciples pour qu'ils en viennent à croire que Jésus est le Fils même de Dieu ? A nous qui sommes chrétiens et dont la foi repose sur leur témoignage, quelle expérience est proposée pour que nous osions dire à Dieu « notre Père », et à Jésus : « Tu es le Fils du Dieu vivant » ? Ces questions seront au cœur de la deuxième partie.

Dieu s'est révélé en Jésus Christ, et cette révélation est parvenue aux hommes en transformant leur vie au souffle de l'Esprit : l'itinéraire de Jésus est ainsi devenu, pour les disciples, un chemin au long duquel ils ont entendu la Parole. La quête de l'essentiel de notre foi nous a conduit vers ces chemins afin de reconnaître celui qui est maintenant « Dieu-avec-nous ». En regardant cheminer les disciples, nous percevrons comment une expérience humaine est devenue aussi une expérience de la foi, comment ils sont passés de la connaissance d'un homme devenu leur ami, à la reconnaissance en lui du Fils de Dieu, le Sauveur de tous les hommes. Leurs mots, qui depuis sont devenus les nôtres, seront lourds de la transformation qui s'est opérée dans leur existence. Mais nous ne pourrons pas arrêter là notre propre parcours, car un obstacle se sera levé sur notre route, sous la forme d'une question incontournable : Jésus a été reconnu comme Sauveur et Fils de Dieu par les disciples, parce qu'il s'est situé au cœur de leur foi et

1. Dans ce livre, employé sans autre précision, le terme de *disciple* désignera les compagnons de Jésus et, par extension, les chrétiens de l'âge apostolique, le terme de *chrétien* désignant les croyants que nous sommes. Cette convention ne fera pas oublier qu'aujourd'hui comme au temps des origines, un « chrétien » est, par définition, un disciple du « Christ ».

de leur espérance juives qui préparaient cette révélation. Mais qu'en est-il de nous, en un monde qui ne reconnaît plus dans ses origines et son histoire la trace de Dieu ? en un monde à qui suffisent comme horizon les perspectives de l'histoire humaine ? Au cours d'une troisième partie, qui abordera ces questions de face, nous verrons *quel itinéraire est proposé aux chrétiens* pour qu'ils fassent leur l'itinéraire des disciples et puissent ainsi accueillir, dans leur existence de citoyen du XXe siècle, la bonne nouvelle du salut « touchant Jésus, le Christ, le Fils de Dieu » (Mc 1, 1).

*
* *

Le propos de cet ouvrage, on vient de le voir, déborde largement le cadre de l'Écriture. C'est l'Église tout entière qui porte la Parole, et celle-ci nous vient non seulement par l'Écriture mais à travers l'existence des croyants qui depuis vingt siècles ont été les cellules vivantes du tissu de l'Église. Toutefois, afin de rendre ces pages accessibles au plus grand nombre, j'ai choisi de donner la plus large place à l'Écriture sainte et à son langage, si proche de l'existence. L'apport de la tradition des grands conciles christologiques et de la recherche théologique des Églises, hier et aujourd'hui, se trouve à l'arrière-plan de ce travail, mais il n'en sera pas fait mention explicitement, afin de garder à l'exposé une certaine simplicité de vocabulaire et d'argumentation. Cependant, comme de nos jours des chrétiens de plus en plus nombreux ont accès au savoir des exégètes et des théologiens, une *Annexe documentaire* indiquera certains présupposés méthodologiques et certaines options philosophiques et théologiques de l'ouvrage. Dans le cours du texte, les notes seront réduites au minimum pour ne pas rompre le rythme de la lecture, mais les principaux travaux auxquels je me suis référé, et dont je suis parfois d'assez près les résultats, seront signalés dans la même annexe. En lisant ces références, les connaisseurs pourront situer rapidement l'horizon de ma réflexion.

*
* *

Avant de mourir, s'adressant à Philippe et, à travers lui, à ses disciples de tous les temps, Jésus déclara : « Voici si longtemps que je suis avec vous et tu ne me connais pas, Philippe ! » (Jn 14, 9). Depuis deux millénaires, l'Église est avec le Christ ; depuis notre baptême, le Père est avec nous grâce au Christ vivant. Mais connaissons-nous vraiment celui qui a décidé de vivre avec nous ? Ne ressemblons-nous pas souvent au frère aîné de la parabole du fils prodigue, qui ne sait plus percevoir la richesse et la profondeur de l'existence qui est la sienne ? « Tu es toujours avec moi, lui dit son père, et tout ce qui est à moi est à toi » (Lc 15, 31).

J'aurai atteint mon objectif si, au terme de ces pages, le lecteur chrétien, après avoir parcouru ces itinéraires, perçoit mieux le don qui lui est proposé, quotidiennement, quoi qu'il en soit de ses oublis et de ses « distractions ». « Tu es toujours avec moi. » Attentif à ce don, il réalisera alors, de l'intérieur, que les mots de sa foi reçue des Apôtres peuvent devenir les siens, avec une grande vérité. Alors le langage de la foi sera non seulement un énoncé de mots, mais une annonce : des mots devenus vie.

PREMIÈRE PARTIE

L'ITINÉRAIRE DE JÉSUS

Il est impossible d'écrire une vie de Jésus. Les évangiles ne répondent pas aux lois d'une biographie moderne : ils sont une annonce de la foi, des témoignages destinés à donner un visage à celui que nous reconnaissons dans la foi : Jésus ressuscité. Les évangélistes ont rassemblé des traditions et les ont disposées en fonction des besoins des communautés pour lesquelles ils écrivaient. Ils ont effectué des choix, opéré des rapprochements, placé les épisodes sous certaines lumières, si bien qu'une même scène de référence pourra être présentée de façon différente selon la recension qu'en donneront Marc, Luc, Matthieu ou Jean.

Cette situation particulière des écrits évangéliques a de quoi agacer nos esprits techniciens, épris de vérités historiques et vérifiables. Mais ceux-ci comprendront qu'il serait contraire à leurs exigences de traiter ces documents en faisant fi de leur nature exacte. Ce peut être aussi l'occasion de nous rappeler que notre foi ne repose pas sur des preuves, mais sur le témoignage croyant des premières communautés.

Cela ne veut pas dire que nous sommes démunis pour retrouver qui a été Jésus de Nazareth. Les sciences bibliques permettent aujourd'hui de cerner des données historiques auxquelles se réfèrent les témoignages, et, dans les pages suivantes, nous ferons appel aux résultats sur lesquels s'est fait un certain accord. Si nous insistons sur le caractère particulier de la documentation évangélique, ce n'est pas pour minimiser l'enquête historique, mais pour la situer à sa juste place à l'intérieur d'une démarche de foi. En essayant de retracer l'itinéraire de Jésus, nous ne partons pas à la recherche d'un inconnu. Nous répondons à un appel de notre foi soucieuse de l'authenticité humaine, historique et située, de Jésus de Nazareth, reçu de la prédication de l'Église, et auquel nous croyons maintenant parce que, vivant, il nous fait vivre.

Dans cet esprit, voyons successivement quels furent l'espace et le temps où Dieu est devenu un homme, les grandes lignes de l'action de Jésus, prédicateur du Royaume de Dieu, les questions que son comportement a posées radicalement et, enfin, ce que fut sa fidélité jusqu'à la mort.

1

L'ESPACE ET LE TEMPS DE JÉSUS

La Galilée méprisée

Quand Jésus commence de prêcher et de guérir en Galilée, la Palestine est un pays occupé par les Romains. La terre promise occupée par des païens ! Cela signifie une situation d'oppression, aux impôts très lourds, qui touche au cœur le nationalisme juif et la conscience religieuse du peuple de Dieu. A cette époque le calme règne sur le pays, mais depuis l'arrivée de Pilate, qui commet de nombreuses erreurs politiques à l'égard des Juifs qu'il méprise, la situation est plus tendue. Il n'y a pas encore de mouvement révolutionnaire organisé, mais certains coups de main contre l'occupant ont lieu, notamment en Galilée d'où est originaire un certain Judas qui, en l'an 6 — Jésus avait environ 12 ans — se révolte avec quelques partisans. Le souvenir de ce Judas de Galilée restera vif dans le peuple, et ses fils reprendront plus tard le flambeau de la résistance armée.

L'occupation maintenait donc une certaine effervescence religieuse et nationale qui rendait les autorités vigilantes. Nous en aurons bientôt un exemple avec le mouvement de Jean le Baptiste et, peu après, avec l'élimination de Jésus.

Jésus a connu cette agitation. Ses paraboles évoquent aussi un monde de journaliers, au service de riches propriétaires, qu'on appelait « les gens du pays » et qu'on méprisait parce qu'ils pratiquaient peu ou mal la Loi de Moïse et les prescriptions des Pères. Voilà pourquoi les hommes pieux pouvaient se demander « si de Nazareth, en Galilée, quelque chose de bon pouvait sortir » (Jn 1, 46).

Jésus a fréquenté les gens du peuple de Galilée, ceux qu'on méprisait et qui se trouvaient classés pêle-mêle parmi les « pécheurs ». Cette expression, qui revient dans les évangiles à propos des fréquentations de Jésus, ne désigne pas ce qu'on pourrait appeler des pécheurs notoires, mais bien la catégorie sociale des petites gens tenus loin de la Loi et, pour cela, méprisés. C'est de cette Galilée-là qu'est sorti Jésus. Avant de situer le mouvement de Jean Baptiste, dans le sillage duquel il est apparu, évoquons brièvement le climat religieux de la Palestine au temps de Jésus.

Au sein du peuple de Dieu

Le judaïsme de la Palestine du premier siècle n'est pas unifié comme il le sera au lendemain de la ruine du Temple, en l'an 70 de notre ère. On peut toutefois dégager quelques lignes fondamentales qui structurent alors la foi des fils d'Israël.

En ce temps-là, le peuple de Dieu éprouve le silence de Dieu. Avec les derniers prophètes, Dieu s'est tu, l'Esprit s'est éteint, pense-t-on. L'exil du VIe siècle a entraîné Israël vers un approfondissement de sa foi, vers la quête de Dieu, dans le silence. On n'ose plus prononcer son nom pour respecter sa transcendance : l'homme ne peut mettre la main sur lui, il ne peut plus tester sa présence dans l'histoire. Israël est parmi les nations le témoin du Dieu unique. Parmi les peuples qui se vouent aux idoles, le juif répète chaque jour le *shema Israel* (Dt 6, 4-9), l'invocation au Dieu Un. Les fréquents rites d'ablution lui rappellent qu'on ne peut s'approcher du Dieu Saint qu'avec un cœur pur, tandis que l'application minutieuse des prescriptions de la Loi et de la tradition des Pères place chaque moment du quotidien sous le signe de la volonté divine suivie pas à pas. Le culte de la synagogue plantée dans les villages est celui de l'Écriture, de l'écoute : écoute de la Loi, méditée avec les paroles prophétiques qui redisent la religion du cœur et de la justice. Certes, il y a le Temple, à Jérusalem, et le nécessaire recours au sacrifice pour y obtenir le pardon des péchés. Mais il y a aussi la synagogue, ce lieu de l'assemblée des croyants et de la Parole, lieu où s'écoute le Dieu de l'alliance.

Dans ce climat, l'occupation romaine provoque la foi et aiguise les aspirations à la libération. Toutefois il serait faux de croire que l'attente d'un Messie libérateur est répandue dans tous les milieux. En certaines occasions des prophètes messianiques peuvent se lever, entraîner les foules pour une révolte, mais ces gestes sont sans lendemain. Le petit peuple aspire à la venue du Messie fils de David et libérateur. Jésus sera salué ainsi le jour des rameaux à Jérusalem ; mais on trouve aussi d'autres formes d'attente. La prédication de Jean Baptiste et celle de Jésus, qui annonceront la venue du Règne de Dieu, tomberont sur des foules qui espèrent une délivrance, une venue prochaine de Dieu préparée par la venue du Messie, ou d'un ultime prophète, perçu ici comme un nouveau Moïse, là comme Élie descendu du ciel.

Dans la mouvance de Jean Baptiste

C'est un fait indéniable : Jésus s'est manifesté dans le sillage de Jean Baptiste. Certains textes laissent même entendre que Jésus « venait après Jean » (Jn 1, 27), ce qui, dans le langage de l'époque, signifiait qu'il était disciple de Jean. Jésus s'est fait baptiser par Jean, répondant ainsi à l'appel de sa prédication ; il l'a suivi pour « être avec lui » (Jn 3, 26). Le quatrième évangile rapporte même que Jésus, lui aussi, s'est mis à baptiser (3, 22). Pourtant Jésus se séparera de Jean Baptiste, il aura ses propres disciples, s'arrêtera de baptiser, inaugurant son propre chemin. Les origines baptistes de Jésus ne seront jamais reniées par les chrétiens qui reprendront le geste du baptême pour signifier cette fois l'appartenance à Jésus ; elles nous indiquent, de façon précise, le point d'ancrage de la prédication de Jésus. Plusieurs questions viennent aussitôt à la pensée : quels sont la signification de ce mouvement baptiste et son rapport aux autres courants du judaïsme ? Pourquoi Jésus s'est-il séparé de Jean ? Avant de percevoir l'originalité de Jésus en évoquant sa prédication et son action, dégageons les traits caractéristiques du baptisme de Jean. Les deux premiers évangiles le présentent ainsi :

> Jean le Baptiste parut dans le désert, proclamant un baptême de conversion en vue du pardon des péchés. Tout le pays de Judée et tous les habitants de Jérusalem se rendaient auprès de lui : ils se faisaient baptiser par lui dans le Jourdain en confessant leurs péchés. Jean était vêtu de poils de chameau avec une ceinture aux reins ; il se nourrissait de sauterelles et de miel sauvage (Mc 1, 4-6).

La notice de Matthieu reprend ces données et présente les thèmes de la prédication de Jean :

> Comme il voyait beaucoup de Pharisiens et de Sadducéens venir à son baptême, il leur dit : « Engeance de vipères, qui vous a montré le moyen d'échapper à la colère qui vient ? Produisez donc du fruit qui témoigne de votre conversion ; et ne vous avisez pas de dire en vous-mêmes : « Nous avons pour père Abraham. » Car, je vous le dis, des pierres que voici, Dieu peut susciter des enfants à Abraham. Déjà la hache est prête à attaquer la racine des arbres ; tout arbre donc qui ne produit pas de bon fruit va être coupé et jeté au feu (Mt 3, 7-10).

Observons un premier contraste : l'homme est rude, sa prédication austère, et pourtant il suscite l'enthousiasme des foules. Pourquoi ? Parce que sa parole porte à son comble une espérance et ouvre à tous une voie de salut très simple au regard des exigences des prêtres et des pharisiens.

Annonçant le pardon de Dieu, Jean fait comprendre que le temps du salut est proche : c'est la proximité du jugement qui rend urgente la conversion à laquelle on adhère en se faisant baptiser. La tenue, la parole et le rite de Jean font revivre le temps des prophètes, annonçant ainsi que le silence de Dieu va prochainement être rompu et rendant actuelle la prophétie d'Ezéchiel :

> Je répandrai sur vous une eau pure et vous serez purifiés ; de toutes vos souillures et de toutes vos idoles je vous purifierai. Et je vous donnerai un cœur nouveau, je mettrai en vous un esprit nouveau... (Ez 36, 25).

L'annonce du prochain jugement divin fait donc espérer une libération qui suscite la ferveur populaire. En outre la parole de Jean ouvre à tous un chemin de salut accessible. Tous son appelés : il n'y a pas chez Jean de ségrégation comme on en trouve dans certains milieux pharisiens ou dans la secte des Esséniens de Qumrân. Même le soldat — ennemi ou collaborateur de l'ennemi — peut se sentir concerné par cet appel. On retrouvera chez Jésus un semblable accueil. A ceux qui se trouvaient exclus de la Loi et du Temple, Jean propose une voie simple : non plus de multiples sacrifices pour le pardon des péchés, mais un unique baptême, une fois pour toutes, afin d'accéder au pardon de Dieu moyennant la conversion du cœur.

L'importance accordée au baptême met en valeur un autre trait du mouvement baptiste. Accordé par un autre, celui qui baptise, le baptême établit un lien personnel entre le maître et celui qui répond à sa prédication. Nous retrouverons dans le mouvement chrétien, issu du mouvement baptiste, cet aspect important : le geste baptiste unit à quelqu'un, il établit dans une communion avec quelqu'un.

L'enthousiasme des foules donnait à ce mouvement un caractère politique en cette époque troublée. Selon les évangiles, Jean fut décapité parce qu'une femme haineuse demanda sa tête à Hérode (Mc 6, 17-29). Flavius Josèphe, historien du Ier siècle, propose de la mort de Jean une autre version (pas nécessairement contradictoire avec celle des évangiles) qui cadre fort bien avec ce que nous savons de cette époque. Dans les *Antiquités juives* (18, 118-119), il écrit :

> Des gens s'étaient rassemblés autour de lui, car ils étaient très exaltés en l'entendant parler. Hérode craignait qu'une telle

> faculté de persuader ne suscitât une révolte, la foule semblant prête à suivre en tout les conseils de cet homme. Il aima donc mieux s'emparer de lui avant que quelque trouble se fût produit à son sujet, que d'avoir à se repentir plus tard, si un mouvement avait lieu, de s'être exposé à des périls. A cause de ces soupçons, Jean fut envoyé à Machaero, la forteresse dont nous avons parlé plus haut, et il y fut tué.

Jésus a écouté Jean, il a adhéré à sa parole. Comme Jean, il prêchera la proximité de l'intervention de Dieu ; comme Jean, et plus encore, il sera accueillant à tout homme d'où qu'il vienne ; comme Jean, il lui arrivera d'enthousiasmer les foules ; comme Jean, il sera mis à mort pour des motifs dont l'aspect politique n'est pas à exclure. Pourtant, après avoir suivi Jean, Jésus s'en sépare. Que veut Jésus ? Qui est Jésus ?

2
UN PROPHÈTE PUISSANT EN ACTION ET EN PAROLE

Après avoir suivi Jean Baptiste, Jésus quitte la Judée et se rend en Galilée pour engager, à travers son pays, de bourgade en bourgade, une existence itinérante. Quand a commencé cette prédication ? A la mort de Jean, sa fin ayant été perçue par Jésus comme un signe du départ de sa propre mission ? Sans doute plus tôt, dans la mesure où nous voyons Jean recevoir dans sa prison l'écho de la prédication et des miracles du Nazaréen.

Jésus ne se prêche pas lui-même, il annonce la venue imminente du Règne de Dieu. C'est une prédication en acte. La vie, les gestes, les comportements de Jésus sont l'illustration, mieux, l'incarnation même de son message. Il se manifeste vraiment tel « un prophète puissant en action et en parole », comme le diront les disciples d'Emmaüs (Lc 24, 19). Pour mieux percevoir qui est Jésus, écoutons à nouveau les principaux accents de son message, et contemplons « les signes et les prodiges » qu'il accomplit parmi le peuple.

L'annonce du Règne de Dieu

« Jésus proclamait l'Évangile de Dieu et disait : le temps est accompli et le Règne de Dieu s'est approché : convertissez-vous et croyez à l'Évangile » (Mc 1, 14-15).

Dans les écrits juifs de l'époque, comme dans les premiers écrits chrétiens, l'annonce du Règne de Dieu occupe peu de place. En résumant par cette annonce le message de Jésus, Marc nous livre certainement ce qui fut le cœur de sa prédication. Cette annonce répond bien à l'attente du peuple. Comme Jean, Jésus est un prophète de la Fin, cette Fin des temps qui vient faire irruption dans l'histoire pour la juger et l'accomplir : le temps est accompli, le Règne de Dieu s'est approché. Cette imminence implique, comme pour Jean, l'urgence de la conversion. On remarque d'emblée la place centrale de Dieu dans la prédication de Jésus. Tout le message évangélique découle de cette annonce de la venue de Dieu. Dieu va régner, Dieu s'approche, voici qu'il vient ! Sous l'expression « Règne de Dieu », ne nous représentons pas un espace où Dieu va exercer sa puissance. L'ensemble de la terre est déjà « l'escabeau de ses pieds ! » (Is 66, 1 ; Mt 5, 35). A travers l'image du règne, c'est la venue même de Dieu qui est annoncée.

Telle est la bonne nouvelle à l'intention des pauvres. « Heureux vous les pauvres : le Royaume de Dieu est à vous. » Pauvres, affligés, persécutés peuvent être dans la joie puisque Dieu vient. Dans la Bible, en effet, il revient au roi de protéger les plus démunis de son royaume, ceux qui ne peuvent se défendre (cf. Ps 146, 7-10). Annoncer que « Dieu va régner », c'est annoncer à ceux qui sont marqués par le malheur que Dieu va faire régner la justice. A juste titre, Luc mettra en exergue de toute la prédication de Jésus, ces mots du prophète Isaïe :

> L'Esprit du Seigneur est sur moi parce qu'il m'a conféré l'onction pour annoncer la bonne nouvelle aux pauvres. Il m'a envoyé proclamer aux captifs la libération et aux aveugles le retour à la vue, renvoyer les opprimés en liberté, proclamer une année d'accueil par le Seigneur (Lc 4, 18-19, cf. Is 61, 1-2).

Avec Jésus cependant une nouveauté fondamentale apparaît : le Règne de Dieu n'est pas seulement annoncé pour un avenir imminent, Jésus déclare : « Le Règne de Dieu est parmi vous. » Dans toute la littérature juive une telle annonce est unique. Jésus ne définit pas ce qu'est le Règne de Dieu ; à l'aide de paraboles, il fait percevoir à ses auditeurs cette présence cachée mais dynamique de l'action de Dieu. Le Règne de Dieu est semblable à une action : l'action du semeur qui sème le grain de la parole, celle du père qui accueille son fils perdu, celle de cet homme qui organise un banquet, ou le geste de cette femme enfouissant du levain dans trois mesures de farine. Le Règne de Dieu, présent de façon cachée, est invitation à la fête, vin des noces, pain de vie, moisson prometteuse. Nous pourrions émailler de références ces images qui évoquent cette grande nouvelle pour les plus démunis.

Une prophétie en acte

Jésus ne s'est pas contenté d'annoncer la présence du Règne de Dieu par sa parole, il a fait de son existence l'actualisation de cette parole. La prophétie d'Isaïe trouve en lui son aujourd'hui (Lc 4, 21). Nous commençons à percevoir l'originalité de Jésus par rapport à son ancien maître Jean, et la raison de leur séparation. Jean baptise près des points d'eau, il annonce par son geste le pardon de Dieu. Jésus s'arrête de baptiser car désormais ce n'est pas par un rite qu'il signifiera le pardon de Dieu, mais par les gestes mêmes de son existence quotidienne[1]. Il quitte les sources requises pour le baptême afin d'être lui-même cette bonne nouvelle en marche parmi le peuple, de ville en ville, sur les chemins de Galilée.

La prophétie du Règne de Dieu qu'est la vie même de Jésus se manifeste notamment dans deux types d'activités : *ses actes de thaumaturge* (guérisons, exorcismes) et *un comportement social si particulier* qu'il scandalisera les juifs pieux.

Pour parler de façon juste des « miracles » de Jésus, il convient de ne pas projeter sur eux nos représentations spontanées. Selon notre rationalité moderne, le miracle est une action qui transcende les lois de la nature dont la science peut rendre compte. Ainsi, à Lourdes, les médecins seront invités à se prononcer sur le caractère explicable ou inexplicable d'une guérison. Celle-ci sera déclarée miraculeuse dans le deuxième cas. Autrement dit un effet est attribué à l'intervention directe de Dieu quand il échappe à l'emprise des hommes. Certains discours apologétiques, on le sait, évoquent le miracle comme une preuve de l'intervention divine.

Dans le monde de la Bible, les perceptions sont autres: explicable ou inexplicable, tout peut être attribué à Dieu. Un lys des champs, une moisson, un lever de soleil, une pluie sont des phénomènes où le croyant voit une intervention directe de Dieu. La réalité est regardée non comme une œuvre de la nature mais comme une créature qui existe de par la toute-puissante bonté de Dieu.

Dans ces perspectives, le miracle est une intervention spéciale de Dieu qui ramène à son ordre la créature, quand l'homme la dévie du fait de son péché, ou pour faire progresser l'histoire du salut : ainsi, dans le cas des miracles de l'Exode, miracles par excellence pour l'israélite, Dieu remédie par eux à l'oppression de Pharaon. A travers l'histoire de son peuple, il intervient par des miracles, pour le provoquer et l'éduquer, se rappeler à lui quand il oublie sa présence ou la met en doute. L'évangéliste Jean, en présentant les miracles de Jésus comme des signes, ne fait que reprendre cette pédagogie. La Bible ne connaît pas seulement des miracles, elle connaît aussi ce qu'on peut appeler des « antimiracles ». Car les forces du mal, les démons, selon les croyances de l'époque,

1. Voir Ch. PERROT, *Jésus et l'histoire,* Desclée, 1979, p. 129-131.

ont, eux aussi, une certaine maîtrise sur la création, et ils peuvent manifester cette domination dans des actes qui transgressent les limites habituelles du cours des choses. Une maladie peut être perçue comme une possession démoniaque, une guérison comme une action libératrice qui met en fuite un esprit mauvais.

Les récits de miracles, appellent des remarques de deux ordres. A l'époque de Jésus, le monde hellénistique foisonne de récits de miracles. Dans certains sanctuaires grecs, et jusqu'à Jérusalem même, au temps de Jésus, les foules se pressaient pour obtenir des guérisons. Certaines relations racontent ces guérisons de façon extraordinaire. A côté de ces récits, d'un genre littéraire bien établi qui se retrouve dans les évangiles, les textes évangéliques sont d'une grande sobriété. Placés dans le contexte contemporain, les miracles de Jésus étonnent par leur simplicité. Ses contradicteurs ont reproché à Jésus non pas de faire des miracles, mais d'en faire de trop modestes. Ils auraient voulu qu'il fît de grands signes dans le ciel (Mt 16, 1). Au reste, Jésus n'est pas le seul à faire des miracles, les disciples des pharisiens en font, eux aussi (Mt 12, 27-28).

Les récits chrétiens des miracles de Jésus appellent une autre série d'observations. Parce que les miracles de Jésus sont compris comme des signes du salut, les premières communautés ont transcrit dans les récits la réalité du salut qu'elles vivaient. Un exemple fera aisément comprendre ce procédé rédactionnel. Quand Jésus guérit la belle-mère de Pierre, Matthieu, contrairement à Marc (comp. Mt 8, 14-17, Mc 1, 29-31 et Lc 4, 38-39), précise que la malade « se met debout » ; il emploie alors un verbe qui signifie aussi « ressusciter ». Une fois guérie, cette femme, toujours selon Matthieu, se met à servir Jésus, seul, alors que dans la version de Marc, elle sert Jésus et les disciples. Ces corrections de Matthieu soulignent que tout chrétien se trouve dans la situation de la belle-mère de Pierre : tout chrétien a besoin de la vie qui vient de Jésus afin de renaître et de se mettre à son service. On le voit, la communauté fait mémoire du miracle de Jésus en réfléchissant sur sa propre expérience de salut, et dans le récit il existe une communication constante entre la vie chrétienne et l'épisode de la vie de Jésus. Ne nous demandons pas d'abord, à propos d'un récit de miracle : « Que s'est-il passé ? », mais : « Qu'est-ce que cela signifie pour nous, pour l'Église, pour moi ? »

Dans ces conditions, il est très difficile de cerner, en chaque cas, le geste miraculeux opéré par Jésus. Mais il est certain que Jésus a opéré des guérisons et a mis au profit de son message le pouvoir qu'il avait de guérir. La mise en œuvre de ce pouvoir n'était pas une preuve de l'authenticité de son message ; les démons pouvaient aussi faire des miracles ! Ce qui authentifie le signe c'est la sainteté de celui qui le pose. Les pharisiens ne mettront pas en doute la réalité des miracles de Jésus, mais ils n'accepteront pas d'y reconnaître le doigt de Dieu. Jésus alors les accusera de blasphème contre l'Esprit, car ils refusent de s'ouvrir à l'action de Dieu qui passe par ses gestes.

Les guérisons, les exorcismes et autres signes posés par Jésus n'ont pas pour but d'attirer l'attention sur lui, mais de souligner l'actualité de son message : la présence agissante de Dieu et de son Règne. Jésus annonce la venue de Dieu et, par ses miracles, il manifeste que Dieu chasse Satan qui règne sur les cœurs et sur les corps. Jésus exulte en voyant Satan tomber du ciel comme l'éclair (Lc 10, 18), il s'étonne lui-même de percevoir cette force de Dieu qui émane de lui de façon surprenante pour guérir une croyante atteinte d'un flux de sang (Mc 5, 30).

Les miracles de Jésus sont donc la proclamation en actes du Règne de Dieu qui détruit celui de Satan. La relation que Jésus établit entre ses miracles et l'annonce du Règne met sa personne dans un relief saisissant. Contrairement à ses contemporains et à ce que pratiqueront plus tard ses disciples qui guériront « en son nom » (Ac 3, 6), Jésus opère ses miracles de par sa propre autorité. La présence du Règne est liée à la présence de Jésus. Ce que nous avons entrevu déjà s'étaie davantage. Jean proclamait l'imminence du Règne du salut et signifiait le pardon à venir par le geste baptismal. Pour Jésus, le signe du salut qui vient est sa propre prédication : son message, son activité miraculeuse. Et nous pouvons ajouter : le signe du salut qui « est parmi vous » est sa propre personne. C'est de lui-même que jaillit le salut annoncé par sa parole.

Une présence libératrice

L'annonce du Règne imminent de Dieu ne prend pas seulement corps dans les miracles de Jésus, *elle s'incarne dans l'ensemble de son existence sociale.* Jésus n'a pas défini ce qu'est le Royaume de Dieu, il en a parlé en paraboles. La plus belle parabole sur le Règne de Dieu est le comportement même de Jésus. Il libère et suscite ceux qu'il rencontre : sa vie est au service du pardon et de la libération des pécheurs. Jean était apparu comme un homme austère qui jeûnait. Jésus

ENTREVUE

Pierre de Locht

P. DESAULNIERS

La foi chrétienne n'est pas d'abord à propos de Dieu. Elle est avant tout à propos de l'humain.

Pierre de Locht vient de publier, chez Desclée (1998), un livre remarquable de lucidité et de sincérité qu'il a intitulé *La foi décantée*. Il y fait le point sur une foi qui a pour ainsi dire « traversé le siècle ». Né à Bruxelles en 1916, Pierre de Locht a été professeur de morale, notamment à l'Université de Louvain. Il a été pendant plus de 25 ans, dans son pays, responsable national de la pastorale familiale. Son itinéraire est jalonné de publications qui sont comme des moments de vérité sur son propre cheminement et sur les communautés dont il a été partie prenante : *La morale conjugale en recherche* (1968), *Les risques de la fidélité* (1972), *Les couples et l'Église, Chronique d'un témoin* (1979), *J'espère être croyant, itinéraire d'un chrétien* (1981), *Morale sexuelle et magistère* (1992). Nous remercions vivement M. de Locht d'avoir bien voulu nous accorder cette entrevue.

TOUTE MA RELIGION

Ceux qui passent plus de temps
À donner aux autres
Qu'à se tourner vers un dieu
Qui compte les fautes
C'est toute ma religion

Tous ces mots qui me viennent
Devant l'immensité
Des océans d'étoiles si désintéressées
C'est toute ma religion

Et tous ces gens qui font du bien
Sans se faire prier
Tous ces chœurs qui s'élèvent
D'un vieux rêve oublié
C'est toute ma religion

Voir en chacun de nous
Une bonté minimum
Plutôt que d'espérer une seule âme
Infiniment bonne
C'est toute ma religion

Les efforts que font les êtres
Pour trouver la vie belle
Sans qu'on vienne leur dicter
Une foi originelle
C'est toute ma religion
C'est toute ma religion

Toi qui me dis simplement
Combien j'existe pour toi
Toi qui arrives d'abord
À me faire croire en moi
C'est toute ma religion.

France D'Amour
F. Basset

RND **La foi est reçue: elle vient d'une tradition et elle se formule dans un credo. Mais la foi ne doit-elle pas aussi être personnelle et donc différente d'une personne à l'autre?**

Il est clair que la foi est d'abord quelque chose qui nous vient de l'extérieur. Et il n'y a pas moyen qu'il en soit autrement. Pour moi, par exemple, la foi est venue de mon milieu familial, elle a été inspirée par les professeurs du collège où j'ai étudié. Mais si ma foi s'arrête là, elle reste une foi extérieure à moi-même. Je crois alors parce que d'autres m'ont introduit dans le milieu de la croyance. Pour passer à une foi vraiment personnelle, pour *habiter* sa foi, il est indispensable que ce qui est reçu et qui a l'autorité de ceux qui m'entourent devienne peu à peu quelque chose qui fait partie de moi. Il y a en ce sens un passage de l'Évangile intéressant où des gens disent : « Nous avons d'abord cru sur le témoignage de cette femme. Maintenant, nous croyons parce que nous avons vu personnellement. » Et je dirais que ce qui est vrai de la foi l'est aussi d'autres réalités. Un agnostique qui est né dans un milieu qui n'est ni religieux ni croyant doit lui aussi passer par une mise en question personnelle pour que son agnosticisme devienne quelque chose de personnel, pour qu'il *habite* sa non-croyance. D'une façon ou d'une autre, c'est donc un chemin par lequel il faut passer et qui comporte des mises en question, des doutes éventuellement et de toute façon des interpellations très personnelles. Et je crois que, s'il en est ainsi, c'est parce que nous sommes des êtres libres. On croit d'abord parce que son entourage croit. C'est manifestement le cas dans un milieu très homogène. Mais dans les milieux pluralistes où nous vivons, il sera de moins en moins possible de croire en fonction de références qui nous sont extérieures. Et je trouve que c'est passionnant. Le témoignage des autres, les lectures, les enseignements reçus, tout cela garde son importance. Mais tout doit passer par le creuset d'une conviction personnelle. C'est cela que j'ai appelé *habiter* sa foi. On devient alors libre à l'intérieur de sa foi.

Ainsi, même si on adhère à telle croyance ou à tel dogme, ce sera d'une manière personnelle et à son rythme propre. Car chacun a son rythme. Et j'ai l'impression qu'on ne tient pas suffisamment compte de l'approche qui est propre à chacun, alors que c'est capital. Sur ce point, j'aimerais dire ceci, qui me tient beaucoup à cœur. Je fais partie d'une communauté de vie qui existe maintenant depuis 33 ans. Dans cette communauté, il n'y a qu'une grande règle, c'est d'avoir tous les jours un partage d'Évangile. Parfois nous sommes trois et parfois trente. Ce qui est extraordinaire, c'est justement de voir comment un passage de l'Évangile peut être reçu différemment. Cela tient à toute une sensibilité. Et la sensibilité féminine est tout à fait différente de la sensibilité masculine. Et ce n'est qu'un exemple. La subjectivité personnelle fait que ce qui est reçu par chacun est reçu de façon tout à fait unique et originale. Et la communauté est faite de la richesse de toutes ces approches subjectives, c'est-à-dire personnellement et même profondément intériorisées.

C'est la raison pour laquelle lorsque l'Église veut imposer une seule manière de comprendre, il y a là quelque chose d'appauvrissant. Par Église, j'entends ici la grande institution officielle. Car trop souvent et trop exclusivement, c'est cela que l'on met sous le mot « Église » : la grande institution officielle. Par contre, je ne crois pas qu'il soit possible de vivre sa foi profondément sans avoir des lieux de dialogue, de partage et de célébration. Des lieux où l'on peut s'enrichir des différentes approches explorées par chacun. Des lieux aussi où on se sent interpellé de façon critique. L'interpellation, le dialogue, la célébration, tout cela me semble vital pour la foi. En ce sens, la foi ne peut se vivre qu'en Église. Mais alors, j'entends par « Église » des communautés de vie, de partage, de célébration. Pour moi, c'est cela l'Église, fondamentalement. Malheureusement, on a plutôt l'impression de nos jours que l'Église c'est avant tout la grande institution et ses documents officiels. J'ai des contacts étroits et fréquents avec le milieu agnostique et athée. Et c'est une des choses qui me frappent. Pour les gens de ce milieu, l'Église, c'est presque uniquement son discours officiel. C'est comme s'ils ne saisissaient pas tout ce qui se fait à la base, tout ce qui se vit dans les communautés, tout ce qui se partage d'une personne à l'autre.

RND **Si la foi est personnelle, n'est-il pas normal qu'avec le temps elle évolue, qu'elle soit mieux accordée aux réalités nouvelles de la vie ? Vous parlez d'une foi « décantée ». En quoi, pour vous, cette « décantation » a-t-elle principalement consisté ?**

Dans le titre de mon livre, je parle d'une « foi décantée ». Pour moi, la décantation de la foi est quelque chose d'inévitable. Parce que d'une façon ou d'une autre, il y a pour chacun évolution de sa propre foi. Cette évolution est attribuable à ce que l'on vit et expérimente, aux rencontres que l'on fait, à la réflexion spirituelle et théologique qu'on est amené à faire. Tout cela fait que l'on approche les choses différemment, à mesure qu'on évolue soi-même. Je pense par exemple aux textes de la Bible. Avec le temps, on les prend de moins en moins à la lettre. On leur donne plutôt un *sens*. Ce sens, sans doute, est porté par la communauté dont on fait partie. Mais c'est aussi un sens de plus en plus personnel. Je pourrais parler ici de la « présence réelle » dans l'Eucharistie. Ce ne serait qu'un exemple parmi tant d'autres. Dans votre question, vous parlez d'une foi mieux accordée aux réalités changeantes de la vie. Dans mon livre, je parle plutôt de décantation. Parce que pour moi, il y a une évolution qui est intérieure à la foi elle-même, qui se situe dans la logique même de la foi. La foi est nécessairement en évolution du fait que la personne elle-même est en évolution tout au long de son existence.

Quand je parle de décantation, je veux dire que progressivement on voit mieux ce qui est vital et essentiel par opposition à toute une série de choses qui ont, elles, à un moment donné, leur sens et leur valeur. En donnant des exemples, je risque de fausser les perspectives. Mais je ne refuserai pas de le faire. Je pense ici à une certaine façon de prier avant les repas ou encore au début de chaque classe, comme on le faisait dans les familles et dans beau-

> *« Par décantation, j'entends ce déblayage d'idées et de pratiques qui ne correspondent plus à ma manière de vivre et d'être chrétien dans un monde en évolution. »*

coup de collèges. Aujourd'hui, cela ne se fait plus guère. Sans doute parce que la pratique religieuse chez les jeunes n'est plus celle d'autrefois. Cependant, ce qui est surtout en cause, c'est cette conviction que la vitalité de la foi ne se mesure pas aux prières qu'on récite mais à la manière d'être dans la vie de tous les jours. C'est ainsi que, peu à peu, des choses qui occupaient le devant de la scène se retrouvent à l'arrière-plan. Je pourrais donner ici beaucoup d'exemples. Je me contenterai d'un exemple tiré de ma vie personnelle. Pendant très longtemps, j'ai récité le bréviaire, – en latin d'ailleurs, – c'est-à-dire cette prière conçue pour des religieux et pour la célébration commune. Aujourd'hui, ma prière consiste bien davantage en ces partages d'Évangile dont j'ai parlé, qui se font en groupe, et qui sont une recherche à la fois intellectuelle et spirituelle. Il y a donc remplacement. Je pourrais aussi parler de la soutane. J'ai porté la soutane longtemps. Mais je suis sûr qu'aujourd'hui la soutane desservirait non seulement mon approche des autres mais encore mes chances de vivre ma foi. C'est cela que j'entends par décantation. À propos de nos pratiques et même de nos manières de penser, il faut constamment se demander : Qu'est-ce qui est vital ? Qu'est-ce qui est essentiel là-dedans ? Qu'est-ce qui est lié à nos habitudes culturelles ? Quand on fréquente un peu le monde laïque et agnostique, on se rend compte qu'il y a une foule de choses qui heurtent et qui détournent et qui pourtant n'ont rien à voir avec le nœud et le cœur de la foi. Quand je parle de « décantation », c'est cela que j'entends, ce déblayage de pratiques et d'idées que je n'ai pas à renier mais qui ne correspondent plus à ma manière de vivre et d'être chrétien dans un monde qui a évolué avec une extraordinaire rapidité.

RND Nous vivons dans un monde où il y a de l'athéisme. Est-ce que cet athéisme n'est pas aussi en nous, dans la mesure où nous refusons certaines images de Dieu ?

Je crois que nous touchons là un point important de la décantation de la foi. L'évolution que nous connaissons de nos images de Dieu est une des formes de la décantation de notre foi. C'est même sa décantation la plus fondamentale, les autres décantations tenant davantage à des pratiques. Bien sûr, je parle pour moi, selon que je ressens les choses. Mais je sais que d'autres sont dans la même situation que moi. C'est clair que j'ai d'abord eu l'image d'un Dieu tout-puissant. D'un Dieu que j'invoquais pour la réussite des choses de tous les jours. D'un Dieu-recours dans les difficultés. Bien sûr, cela ne va pas sans difficultés. Pourquoi Dieu intervient-il pour me libérer de telle souffrance ou telle difficulté et non pas de telle autre ? J'ai un ami athée avec qui j'ai souvent dialogué, même en public. Il dit : « Je ne peux pas croire en Dieu. Le Dieu de Jésus-Christ n'était pas au Golgotha. Il n'était pas non plus à Auschwitz ni à Dachau. » Autrement dit, selon l'acceptation courante, si Dieu existe, il doit intervenir dans le cours ordinaire des choses et spécialement dans les situations cruciales de l'histoire humaine, il doit empêcher les guerres meurtrières, les épidémies, les catastrophes naturelles. Pour moi, la décantation de ma foi a consisté à dire : je ne crois plus à cette image de Dieu qu'on projette pour ainsi dire spontanément parce qu'on a envie que Dieu soit ainsi, parce qu'on veut que Dieu nous libère de tout ce qui est difficile à vivre. J'ai dû admettre que ce Dieu-là n'est pas celui de Jésus dans l'Évangile. Le Dieu de l'Évangile est beaucoup plus respectueux de la liberté humaine. S'il agit par une présence qui donne confiance, il ne supplée pas à mes déficiences ni à mon inaction. Voilà, je crois, une décantation de l'image de Dieu qui est capitale.

RND Au contact de l'athéisme et de l'incroyance, au lieu d'approfondir sa foi, ne risque-t-on pas plutôt de la perdre ? N'est-ce pas notamment ce qui se produit chez les jeunes ?

Je ne crois pas que j'aie à laisser tomber aucune de mes convictions pour me rapprocher des athées plus facilement ou pour éviter de les heurter. Si les athées m'amènent à m'interroger, c'est parce que leurs interpellations rejoignent quelque chose de réel, qu'elles provoquent une évolution intérieure qui répond à mes propres aspirations. Ce qui m'impressionne le plus chez les athées les plus authentiques et les plus intériorisés, c'est qu'ils sont amenés à aller plus loin dans leur réflexion humaine que nous, les croyants, sommes parfois portés à le faire. Dans certains cas, la référence religieuse peut devenir une échappatoire. Les athées m'obligent à aller plus loin. Je pense par exemple à la question de l'au-delà. Récemment, une personne athée que je connais bien a perdu sa fille unique âgée de dix ans. Pour elle, il n'y a aucun espoir au-delà de la mort. Elle ne peut pas croire qu'il y ait quelque chose après cette vie. Comment peut-elle vivre cette épreuve, la plus douloureuse qui soit ? Ce qui est certain, c'est qu'elle doit investir toutes ses ressources d'humanité pour assumer une telle situation. Je crois qu'un chrétien ne doit pas esquiver le fond de l'interrogation qui est alors posée en faisant référence à Dieu pour fournir une explication ou parler d'une compensation. Sans vouloir entrer ici dans le détail de la question, je pense aussi à l'euthanasie. L'euthanasie pose un problème extrêmement difficile. Or il me semble qu'on s'en tire à compte trop facile en disant : « La vie ne nous appartient pas. Elle appartient à Dieu. » Au nom d'une explication « surnaturelle », nous évitons d'aller au bout de la réflexion humaine. On échappe alors à une interrogation fondamentale de notre époque. Nous nous contentons d'une solution trop exclusivement ou trop directement religieuse qui échappe à l'humain.

En ce sens-là, il me semble que le contact avec ceux pour qui la réflexion se résume à l'humanisme nous interpelle avantageusement. Cela nous rappelle que la religion ne supplée pas à la recherche humaine. Quand aux jeunes dont la foi est mise à mal au contact de l'agnosticisme, il faut se demander si leur foi n'est pas restée trop sociologique, trop dépendante à leur milieu, alors que leur réflexion personnelle progressait à un autre rythme. J'ai l'impression que certains, devant des démonstrations athées solidement bâties, laissent tomber leur foi parce que celle-ci justement n'est pas suffisamment décantée, n'est pas devenue vraiment personnelle, reste trop quelque chose de reçu de l'extérieur. À ce propos, j'ai l'impression que nous entrons dans une période où il y aura un renversement complet de la pédagogie de la foi. Dans la formation que j'ai reçue, on nous disait d'abord qui est Dieu. Et de là découlait une certaine connaissance de l'homme. Je crois que, de nos jours, le mouvement s'est inversé. La première découverte de celui qui accède à une conscience personnelle, ce n'est pas Dieu mais l'être humain. Et c'est à l'intérieur de cette réflexion sur l'homme que se pose le problème de Dieu. Je ne suis pas sûr que la foi chrétienne soit d'abord à propos de Dieu. Elle est d'abord à propos de l'humain. Ce qui a d'emblée attiré les disciples de Jésus, c'est sa qualité humaine, son écoute, son accueil. Dans l'Évangile d'ailleurs, c'est discrètement que Jésus ouvre une perspective sur l'au-delà et la transcendance. Quand il parle de la vie définitive, il parle d'abord de celui qui donne à manger à celui qui a faim ou qui visite le prisonnier dans sa prison. C'est sur le chemin de l'humanité poussée au bout d'elle-même que surgit la question de la foi. Cela ne m'inquiète donc pas trop de constater que certains jeunes prennent leurs distances à l'égard d'une foi encore trop portée par le milieu. À condition qu'ils s'engagent dans une voie d'humanité toujours plus vraie. Et j'ai l'impression que les jeunes d'aujourd'hui sont nettement plus engagés que je l'étais à leur âge. C'est à partir de là, il me semble, que parents et éducateurs doivent se sentir interpellés. Et cela interroge à coup sûr les structures de l'Église. Est-ce que nous sommes prêts à cheminer avec les jeunes au lieu d'essayer de leur inculquer des vérités qu'ils ne sont pas capables d'intérioriser à leur âge ? Car il n'est pas fatal que le contact avec le monde agnostique

aboutisse à un désengagement religieux. Mais il obligera certainement à parcourir autrement le chemin de la foi. Voilà ce que je suis porté à penser.

> ***« Je ne crois plus à cette image de Dieu qu'on projette spontanément, parce qu'on a envie que Dieu nous libère de tout ce qui est difficile à vivre. »***

RND Comment concilier la foi, même décantée, et la solidarité avec l'aventure humaine qui se joue ici et maintenant ? Comment un chrétien peut-il être de son temps, alors que l'Église refuse la modernité depuis que celle-ci existe ?

C'est un fait que l'Église officielle a beaucoup de peine à entrer dans la modernité. Elle a l'impression que l'aventure humaine met en péril son message. Comment expliquer cela ? Parce que l'autorité religieuse est dans une certaine mesure coupée de la vie et néglige la pédagogie concrète de la vie ? Parce que les responsables de l'Église sont séparés du peuple croyant et ne sont pas sensibles aux appels du quotidien ? Chose certaine, quand on est plongé dans le quotidien et qu'on est attentif aux interpellations qui nous viennent de partout, il n'est pas possible de refuser la modernité. Comment se fait-il dès lors qu'une certaine Église soit si peu perméable aux réalités de notre temps ? Je suis presque tenté de dire que l'Église officielle ou du moins bon nombre de ses représentants n'ont pas foi dans la personne humaine. Tout mon ministère, pendant 50 ans, a tourné autour de la pastorale familiale, puisque dès les années 60 j'ai été chargé par les évêques de fonder le Centre de pastorale familiale. Or je me suis rapidement trouvé devant ce problème. Les couples, dans le concret de leur existence, et de façon unique pour chacun d'eux, ont à affronter des problèmes multiples et variés auxquels les solutions théoriques et toutes faites ne correspondent pas exactement. Ce que les gens ressentent très fort, à ce moment, c'est que l'autorité religieuse ne croit pas que les gens, en tâtonnant souvent, sont capables de trouver les solutions les moins mauvaises, compte tenu de leur situation concrète. L'autorité religieuse persiste à imposer des solutions théoriques qui ne collent pas au vécu. Au lieu de faire confiance aux gens et de leur dire : « Il y a en vous plus de ressources que vous ne pensez », on leur dit de suivre le sillon tracé depuis toujours. Et je sens que cela n'aide pas les gens à grandir moralement.

Cela pose un problème fondamental. On a alors une morale de l'idéal théorique et pas assez une morale de cheminement, où on fait confiance aux personnes en leur disant : « Il n'y a que vous qui puissiez tracer votre propre route. » Bien sûr, il est important de savoir ce vers quoi on doit avancer, mais en sachant qu'on ne peut y aller qu'à son rythme, selon ses possibilités personnelles et selon les possibilités du couple dont on fait partie, de la famille que l'on forme. Il faut construire, mais en étant sensible à l'autre. Je ne prône donc pas du tout une espèce de recherche égocentrique. Je voudrais seulement qu'on remette en valeur deux mots qui ont mauvaise presse. J'ai parlé déjà de la « subjectivité », qui a un côté péjoratif, mais qui me semble essentielle. Il s'agit alors d'être le sujet de sa vie et de son cheminement et pas simplement un membre du troupeau. L'autre mot, c'est la « relativité ». J'entends par là qu'on doit faire son chemin en étant soucieux de sa relation avec les autres. Or l'autorité religieuse a peur de cela. Car elle n'a pas confiance dans les êtres humains. Elle croit qu'elle seule peut déterminer le chemin à suivre. Elle est donc dans une situation de méfiance et non pas d'écoute et d'ouverture. Elle n'aide pas les gens à grandir. Elle n'a pas foi en l'esprit qui est en chacun. Un jour, dans un parc des environs, j'ai vu un petit garçon qui voulait marcher sur un muret. Sa mère a été tellement paniquée qu'elle ne l'a pas empêché directement de le faire, mais elle a créé chez lui une psychologie de l'échec. Il y a une manière d'être de l'Église officielle qui insuffle une psychologie de l'échec. Alors que l'Évangile, il me semble, fait confiance et met les gens debout.

RND Doit-on attribuer à l'écart entre l'Église et le monde moderne le fait que plusieurs chrétiens s'engagent sans le faire au nom de leur foi ?

Est-il vraiment nécessaire ou même utile de s'engager avant tout au nom de sa foi ? D'ailleurs, comment distinguer clairement ce que je fais au nom de ma foi et ce que je fais au nom de mon humanité ? Comment dire ce qui relève de l'une et de l'autre ? Car du point de vue de ma foi, du point de vue de Dieu, si j'ose dire, ce qui m'est demandé, c'est d'être aussi pleinement humain que possible, aussi solidaire que possible de l'humanité en marche. En ce sens, la motivation de la foi est une motivation seconde. Cela ne veut pas dire que ce n'est pas une motivation aussi interpellante que la motivation première qui est celle de notre humanité. Au contact des agnostiques, j'ai compris un certain nombre de choses. À une certaine époque, on prétendait tout faire « au nom de Dieu » : nourrir les affamés, soigner les malades, etc. Finalement, on aimait les autres pour l'amour de Dieu. La façon d'agir des agnostiques m'a convaincu qu'on peut tout aussi bien s'engager dans les combats humains nécessaires au nom même de cette humanité que nous avons tous en commun, au nom de la tendresse humaine. Or c'est justement cela qui m'inquiète, ce manque de tendresse de l'Église pour le monde moderne, avec toutes ses recherches et ses difficultés. Dans ces conditions, cela ne me surprend pas que beaucoup de chrétiens et de jeunes notamment ne s'engagent pas d'abord au nom de leur foi.

La question qui se pose au croyant est alors celle-ci : Comment, dans tous ces engagements humains, discerner la présence qui soutient et stimule ? Cela ne change pas les données du combat. Mais cela donne des motivations supplémentaires, plus intérieures peut-être, et surtout une expérience qui est source de confiance. Car d'un combat humain, aussi valable et impérieux soit-il, on peut toujours se demander : va-t-il aboutir ? Il me semble que les jeunes qui ont la foi doivent découvrir cela dans leurs engagements. Ils s'impliquent d'abord au nom de leur humanité. Mais comment, peu à peu, peuvent-ils être témoins non seulement de l'action à faire mais des motivations profondes et de l'intériorité qui donne à l'action une profondeur et une densité supplémentaires ?

Depuis un bon moment déjà, nous parlons de « modernité ». Je ne prétends pas définir la modernité, mais la modernité a des axes assez facilement discernables. Ainsi, pour la modernité, la religion ne fournit pas l'explication de tout. Il y a une autonomie réelle de l'humain. C'est une difficulté majeure pour une religion comme la religion catholique, qui prétend avoir la maîtrise totale de l'humain et qui refuse un cheminement humain qui ne soit pas entièrement réglementé par les valeurs religieuses. Parmi les options de la modernité, on trouve notamment celle-ci : la séparation de l'Église et de l'État. L'État est amené à faire des choix qui ne sont pas ceux que ferait l'Église. On peut penser ici au divorce civil qui est une reconnaissance légale de la rupture du couple. La modernité suppose aussi que la science jouit d'une véritable autonomie. En sorte que les lois scientifiques n'ont pas à être avalisées par l'Église. Cela heurte la religion traditionnelle de front, car cette religion croyait avoir en sa main toutes les normes du fonctionnement humain. La modernité, c'est aussi le libre examen. Le libre examen suppose que l'on n'atteint jamais pleinement la vérité et qu'il faut toujours essayer de l'approcher. On est alors loin des « vérités qu'il faut croire pour être sauvé ». D'ailleurs, qu'est-ce que cela veut dire une vérité qu'il faut croire ? La vérité n'est pas objet d'obéissance ou de soumission mais appel à la découverte. Il me semble que c'est comme cela qu'il faut voir la foi aujourd'hui. Comme un appel à découvrir et à expérimenter. « Venez et voyez. » Et le libre examen dont on se méfie tant n'est pas d'abord pour moi la possibilité de se tromper mais la possibilité de s'engager de façon plus personnelle et intériorisée dans ce qu'on croit et dans ce qu'on fait. Il y a une façon moderne de s'engager qu'il faut apprendre à découvrir et à respecter.

RND Si la foi est personnelle, est-ce que la morale ne doit pas l'être tout autant ? Comment expliquer que les autorités religieuses essaient de s'emparer de la morale ?

Tout d'abord, je dois dire que je ne crois pas que la morale tombe d'en haut. La morale naît avant tout de l'expérience vécue. Même ce que nous chrétiens appelons les « grands principes » ne sont pas descendus du ciel. Ils sont nés de l'expérience d'hommes et de femmes qui, à force de tâtonnements, ont dégagé de leurs échecs et de leurs réussites une certaine sagesse de vie. L'Église officielle donne l'impression qu'on ne peut vivre que du passé et qu'il n'est plus possible d'avancer nous aussi sur un chemin où on expérimente et où on décante. À mon avis, il doit y avoir une créativité morale permanente. Bien sûr, on doit faire son profit de toute la sagesse des générations qui nous ont précédés. Les principes, c'est un peu cela, le message des générations passées. Car nous ne sommes pas la première génération à essayer de vivre du mieux que l'on peut. À travers les principes, nous recevons une certaine sagesse de vie élaborée au fil des générations. Mais cela ne veut pas dire que nous n'avons plus qu'à reproduire ce qui s'est fait avant nous. Cela m'impressionne de voir comme les générations qui nous précèdent ont essayé de vivre leur sexualité et leur conjugalité. Mais nous n'en devons pas moins inventer aujourd'hui quelque chose de nouveau. Car les conditions de vie d'aujourd'hui ne sont pas celles d'hier. Je pense par exemple à la mixité généralisée dans nos sociétés.

La morale n'est donc pas quelque chose de tout fait auquel il suffirait d'adhérer ou d'obéir. Il y a un message qui nous est transmis par ceux qui nous ont précédés, mais ce message, nous devons le déployer dans les conditions de vie d'aujourd'hui. Or j'ai l'impression que l'Église officielle n'est pas vraiment à l'écoute de ce que les gens vivent dans le concret de leur existence. Ainsi, j'ai été mêlé d'assez près à la pastorale des couples et au problème de la contraception. J'ai même fait partie de ce groupe de théologiens que Rome avait mobilisé pour réfléchir à cette question. Après trois ans, notre commission a remis son rapport. Un rapport qui faisait suite à l'écoute de nombreux couples. Nous en étions arrivés à la conclusion que les moyens de contraception dits « artificiels » n'étaient pas intrinsèquement mauvais. On sait que l'encyclique *Humanæ vitæ* a tranché dans l'autre sens. Nous avons eu l'impression très nette que l'expérience des couples n'avait pas été prise au sérieux. On les a soupçonnés d'être victimes des mœurs nouvelles, de manquer de générosité. Il semblait y avoir un hiatus insurmontable entre un enseignement officiel intemporel et des situations qui avaient fortement évolué. Ce que je vais dire va paraître orgueilleux à d'aucuns. Lorsque Rome publie un document, on peut bien dire que c'est un document du magistère, mais, dans bien des cas, ce n'est pas un document d'Église. Car pour moi, un document d'Église, c'est un document qui devrait être pensé, réfléchi et discuté longuement entre les chrétiens de la base et l'autorité. Cela donnerait d'ailleurs lieu à un cheminement qui serait pédagogiquement très riche. Alors je parlerais d'un document d'Église. Tandis qu'actuellement, les documents officiels sont pensés par un petit nombre de clercs indépendamment de ce qui se vit concrètement. Tout porte alors à faux, parce qu'on ne répond pas aux véritables questions, celles qui se vivent dans la vie réelle.

Il y a aussi un autre point que j'aimerais aborder. J'ai l'impression que l'Église officielle confond souvent la foi et la morale. À mon avis, le message principal de l'Église est un message de foi et non pas un message moral. Car la morale n'est pas le lot exclusif de l'Église. Il y a actuellement beaucoup de questions morales nouvelles qui se posent. On n'a qu'à penser à la bioéthique, à l'éthique médicale. Ce sont toutes les instances humaines qui ont à réfléchir à ces questions. D'ailleurs beaucoup d'athées et d'agnostiques pensent sérieusement à tous ces sujets. Il me semble que sur ces problèmes particulièrement difficiles et épineux, l'Église doit se mettre à la même table que les autres, sur un pied d'égalité. Elle doit écouter et réfléchir avec les autres. Car les réponses, en pareil cas, ne sont pas d'abord religieuses mais humaines. Sans doute, l'Église peut fournir un apport particulier, un point de vue qui lui est propre. Mais cet apport n'est pas proprement moral. C'est plutôt celui d'une dimension d'éternité. Malheureusement, l'Église donne l'impression que, si l'on n'a pas la foi, on ne peut pas avoir des solutions morales valables. Il y a là, je crois, un conflit majeur entre l'Église et la modernité. D'autant plus que l'Église, au lieu d'apporter une parole de foi susceptible d'être entendue, une parole d'alliance et de transcendance, préfère se prononcer avec hauteur en matière morale. L'Église refuse la nécessaire décantation qui est caractéristique d'une société pluraliste. Au lieu d'un message de foi, elle continue de dire un message moral autoritaire. J'irai même plus loin. Le message moral de l'Église est trop normatif et pas assez moral. Car le message vraiment moral ne tranche pas d'autorité. Il fait d'abord appel aux valeurs. Cela est d'ailleurs évident quand il s'agit de l'éducation. Les parents ne peuvent pas s'en tenir aux « Tu peux » ou « Tu ne peux pas ». À un moment donné, il faut aborder la question de fond : ce qui est vécu est-il valorisant ou non ? Car un message normatif relève finalement plus du droit que de la morale. Un message normatif n'est pas pleinement moral. Et il est encore moins un message de foi. Car la foi, c'est justement la confiance en Dieu et en soi, un appel à aller plus loin à travers les difficultés qui sont celles de ce monde où nous avons à vivre. Pour aller vers la plénitude pour laquelle nous sommes faits.

RND Est-il possible aujourd'hui pour les jeunes de vivre une sexualité vraiment humaine, dans un monde où les cadres sociaux et religieux sont très peu présents ?

Il est difficile de dire de quoi les jeunes sont capables mais on peut au moins se demander ce que nous sommes en mesure de leur transmettre. Lorsque j'ai commencé à m'occuper des couples et des familles, il y a 50 ans, c'était le silence total sur la sexualité. Il n'était pas question d'éducation sexuelle. Les parents ne disaient rien aux enfants. Aujourd'hui, la sexualité crève l'écran et elle s'étale partout. Est-ce qu'on aide mieux les jeunes de cette façon, c'est une autre question. Ce qui est certain, c'est que beaucoup de parents sont déroutés par les jeunes d'aujourd'hui qui ont des pratiques impensables pour eux. La tentation est alors grande pour les parents de dire : « Tu ne peux pas. »

Car les parents restent marqués par la normativité. À moins qu'ils ne s'enferment dans le silence et dans le refus de toute allusion à la normativité. Il me semble que si les parents dépassaient une attitude normative, ils pourraient être de précieux témoins. Ils pourraient dire aux jeunes : « Voilà le sens que les choses ont pour nous. Voilà les difficultés que nous avons connues. L'amour est quelque chose d'important. Il ne faut pas le gâcher. » Cela revient à ce que je disais à propos de la morale dans son ensemble. La formation traditionnelle était celle du « on peut ou on ne peut pas. » La vertu majeure du chrétien, c'était l'obéissance aux directives de l'Église officielle. Alors que pour aider les jeunes d'aujourd'hui, il faut pouvoir être pour eux des témoins des valeurs et du sens. Qu'on dise aux jeunes à l'occasion : « Telle chose, je crois que ce n'est vraiment pas bon », cela se comprend. Mais il faut aller beaucoup plus loin. Il faut être capable de passer d'une morale de l'obligation à une morale de la découverte. Or la sexualité est peut-être le domaine où ce passage est le plus difficile à faire. Parce qu'en cette matière surtout, il était question de soumission et presque jamais de recherche de sens.

«Au lieu de faire confiance aux gens, l'autorité religieuse leur dit de suivre le sillon tracé d'avance. Cela n'aide pas les gens à grandir moralement.»

RND Est-ce que les convictions de foi peuvent favoriser la confiance en soi et en l'autre qui est au cœur de la relation de couple ?

Je crois que la confiance, comme bien d'autres conditions de vie, est d'abord et avant tout une question d'humanité. Et le rôle de la foi, quant à moi, c'est de soutenir cette confiance. En ce sens, l'Évangile m'apparaît comme un récit extraordinaire, parce que, d'un bout à

L.-A. COUTURIER

l'autre, on y voit Jésus faire confiance et susciter la confiance. On a trop dit que la fidélité, c'est de ne pas être infidèle. La fidélité, c'est essentiellement la confiance en l'autre. Or il est bien clair que la fidélité est aujourd'hui plus difficile. Parce que la différence entre l'homme et la femme est plus évidente que jamais. Or, être fidèle, c'est cheminer ensemble dans le respect de l'autre, et même en aidant l'autre à déployer ce qu'il a d'original et de différent. En essayant de comprendre le sens de cette différence.

Il n'y a pas si longtemps, on avait une conception assez fusionnelle du couple. L'homme et la femme devaient tout faire ensemble, penser identiquement, etc. Cela ne pouvait aboutir qu'à une révolte, à un moment ou l'autre, parce que l'un ou l'autre des conjoints se retrouvait avec quelque chose en lui d'inemployé. Heureusement, ce n'est plus ainsi qu'on voit la fidélité ; on la considère plutôt comme un accueil et même comme un désir de ce qu'il y a de différent et d'original dans l'autre. Est-ce que la foi peut jouer dans le sens de la fidélité ainsi comprise ? Une chose est certaine : si on n'a pas confiance en soi, on est incapable d'accepter la différence de l'autre. Or il me semble que l'attitude de Jésus dans l'Évangile est constamment de renvoyer les personnes à elles-mêmes. « Aie confiance. » « Pourquoi ne jugez-vous pas vous-mêmes de ce qui est bon ? » Jésus renvoie chacun à sa dignité profonde, autant le publicain que la pécheresse. Le message de Jésus est celui d'une confiance profonde en chacun de nous. En ce sens, il me semble que la foi est une source exceptionnelle de fidélité, dans le couple comme dans l'ensemble des relations humaines, si l'on entend par « fidélité » cette confiance en l'autre qui a les mêmes racines que la confiance en soi.

RND On a parfois l'impression que le message chrétien est peu interpellant pour plusieurs de nos contemporains.

Il y a un certain discours officiel de l'Église qui laisse les gens assez indifférents. Je parle bien sûr des gens de notre culture occidentale. Les gens rejettent ce discours normatif parce qu'ils ont l'impression qu'en le recevant ils ne pourraient pas être eux-mêmes. Nos contemporains veulent être responsables d'eux-mêmes et du monde dans lequel ils sont. Mais je ne suis pas sûr que le message chrétien en lui-même soit si peu interpellant pour les gens de notre temps. Quand nos contemporains rencontrent des chrétiens de la base qui ne veulent ni convertir ni régenter, et qui sont prêts à s'engager de façon loyale et respectueuse, cela les rejoint profondément. Les agnostiques peuvent être très durs pour nous, mais il y a une qualité de l'engagement et une chaleur de l'accueil qui ne les laisse pas indifférents. C'est pour cela que j'insiste tant sur le rôle des chrétiens de la base. Il y a dans l'Église une évolution qui doit se faire. C'est l'évidence même. Mais cette évolution, j'en suis convaincu, ne viendra pas de la tête. Le problème n'est pas de savoir si dans un an ou dans cinq ans nous aurons un autre pape avec un autre style. Le problème, c'est de savoir comment nous vivons notre foi à la base. Car c'est là qu'est la vie. Et là aussi que se construit l'Église de demain. ■

est perçu comme un glouton et un buveur qui fait la fête avec les pécheurs (Mt 11, 19 ; Lc 7, 32), ceux que la société exclut : malades, lépreux, prostituées, usuriers notoires. Jésus va vers eux, mange avec eux, manifestant ainsi qu'il se fait leur allié. Annonçant le Royaume qui vient, une telle attitude est d'une prétention inouïe. En mangeant avec les pécheurs, Jésus se met à la place de Dieu qui pardonne, et va, comme Dieu, à la recherche de ce qui est perdu. Les opposants perçoivent clairement la signification profonde de telles fréquentations. Ils savent bien que Jésus n'encourt pas les mêmes reproches que ceux qu'il fréquente, c'est un homme juste, un « bon maître » (Lc 18, 18), quelqu'un qui peut accéder à la table pure des pharisiens (Lc 7, 36).

Une telle attitude bouleverse les êtres qu'il rencontre, elle les met debout, ouvre devant eux une vie nouvelle. Parmi de nombreux exemples, rappelons le cas de Zachée (Lc 19, 1-10). Jésus n'a pas mis de condition pour venir chez ce collecteur d'impôts qui percevait des sommes indues, il n'a pas exigé de lui qu'il rembourse d'abord ce qu'il avait volé. Il a dit simplement : « Zachée, descends vite : il me faut aujourd'hui demeurer dans ta maison. » La suite du récit montre que cette présence a changé beaucoup de choses dans la vie de Zachée, comme chez les gens que cet usurier opprimait (ne les oublions pas non plus !) : « Zachée, s'avançant, dit au Seigneur : Eh bien, Seigneur, je fais don aux pauvres de la moitié de mes biens et, si j'ai fait tort à quelqu'un, je lui rends le quadruple. Alors Jésus dit à son propos : aujourd'hui, le salut est venu pour cette maison. » Zachée ne s'est pas demandé avant d'accueillir Jésus ce qu'il fallait faire pour être digne d'une telle visite. S'il s'était préoccupé de cela, il aurait peut-être manqué le rendez-vous. Mais une fois Jésus entré dans sa demeure, il a compris tout de suite non pas ce qu'il fallait faire (il n'était obligé à rien), mais que désormais plus rien ne serait comme avant ni pour lui, ni pour les autres, et il a agi en conséquence.

Par son attitude à l'égard des exclus qu'il fait renaître, Jésus témoigne d'un certain visage de Dieu, d'un Dieu qui est amour. Peut-être est-ce cela qui troubla le Baptiste au fond de sa prison. Lui avait annoncé un Dieu de la crainte, voici qu'avec Jésus s'annonce un Dieu de miséricorde. Jésus perçoit que son comportement peut être source de scandale pour ceux qui, par souci d'une fidélité sourcilleuse à la volonté de Dieu, ont encadré leur vie dans des règlements très stricts. Au dire des évangélistes, Jésus a répondu à Jean en lui citant les prophètes dont il accomplissait les oracles : « Allez rapporter à Jean ce que vous avez vu et entendu : les aveugles recouvrent la vue, les boîteux marchent droit, les lépreux sont purifiés et les sourds entendent, les morts ressuscitent, la bonne nouvelle est annoncée aux pauvres, et heureux celui qui ne tombera pas à cause de moi » (Lc 7, 22-23).

Jésus n'est pas venu faire peser la loi, mais libérer : son fardeau est léger. Le sabbat est fait pour l'homme, non l'homme pour le sabbat. Jésus ne se veut pas seulement au service de l'homme, dont il détruit les oppressions et les aliénations, celles du corps et celles du cœur, mais il se veut aussi témoin de Dieu, de Dieu qui a fait le sabbat et en est le maître. On imagine mal quelle provocation pouvaient représenter semblables propos et semblables gestes. Cela remplissait de fureur Pharisiens et Hérodiens qui cherchaient à le perdre (Mc 2, 23-3, 6).

La façon dont Jésus est le témoin d'un Dieu qui libère et rassemble les pécheurs pardonnés sans faire acception de personne, se manifeste encore dans la composition même du groupe des Douze. A relire cette fameuse liste, on est frappé que Jésus ait choisi comme témoins de l'Israël nouveau, des personnes aussi différentes appartenant à des tendances qui s'opposaient alors en Palestine. Les partisans de la violence, qu'il s'agisse des « fils du tonnerre » (Jacques et Jean) ou du bouillant Pierre qui tirera l'épée à Gethsémani, côtoient un collecteur d'impôts à la solde de l'occupant : Matthieu ; des juifs parlant grec comme Philippe de Bethsaïde se trouvent avec un zélé de la religion, un nommé Simon. Pensons également à l'accueil que Jésus fit dans son groupe aux femmes qui le suivaient. Au dire des historiens, cette pratique va à l'encontre de la mentalité de l'époque. Ainsi, jusque dans le quotidien de la vie de son groupe, Jésus donne une réalité concrète au Règne du Dieu de la miséricorde et de la réconciliation. « Le Royaume est parmi vous. » Là où Jésus passe en faisant le bien et en se mettant au service de tous, Dieu est proche, Dieu est là, avec son amour universel qui n'exclut pas l'ennemi.

3

« QUI DITES-VOUS QUE JE SUIS ? »

A travers ses paroles et ses gestes, à travers aussi les réactions de ses interlocuteurs, regardons comment Jésus est perçu par les gens de son temps. Quel est donc cet homme ? D'où tient-il un tel pouvoir et une telle assurance qui, à beaucoup, apparaissent d'une prétention irrecevable parce que blasphématoire ?

Des prétentions stupéfiantes

Les paroles de Jésus, la signification qu'il accorde à ses miracles, l'ensemble de son comportement social et religieux font choc et conduisent ceux qui le rencontrent à se poser la question : mais qui est-il celui-là ? de quelle autorité se recommande-t-il pour agir et parler de la sorte ? Si nous passons en revue les divers groupes avec lesquels Jésus est entré en relation, nous percevons que sa personnalité échappe à toute classification.

Durant la prédication en Galilée, nous ne rencontrons pas *les prêtres ni les sadducéens,* hommes appartenant à l'aristocratie sacerdotale de Jérusalem. Comme les baptistes, Jésus se tient à distance du culte sacrificiel du Temple qui est pour lui le lieu de la parole et de la prière. Jamais les évangélistes ne nous montrent Jésus en train de sacrifier au Temple. Jésus ne fréquentait pas les ecclésiastiques de son temps, et la façon dont il en parle en dit long... Dans la parabole du bon samaritain, Jésus met en scène un prêtre et un lévite. Ce n'est pas à leur avantage car l'un et l'autre passent leur chemin sans porter secours au blessé, préférant l'application de la Loi à l'amour de cet ennemi devenu leur prochain. Bien plus, Jésus loue le geste d'un Samaritain, c'est-à-dire d'un homme qui rejetait le Temple de Jérusalem. Une telle distribution des rôles dans la parabole tient de la provocation. C'est aussi le cas de l'épisode des vendeurs chassés du Temple. Ne pensons pas trop rapidement que Jésus a voulu mettre fin à un commerce abusif. Son geste met en cause le culte sacrificiel comme tel : chasser les bêtes nécessaires aux sacrifices, empêcher tout achat, aller jusqu'à jeter les objets du culte — car il semble bien que c'est de cela qu'il s'agit en Mc 11, 15[2] — c'est bel et bien se mettre au-dessus de la Loi qui prescrivait les sacrifices, c'est porter un coup au cœur de la religion d'Israël en annonçant la fin du Temple à la façon des prophètes (cf. Jr 7 et Za 14). On comprend que les grands-prêtres, les scribes et les anciens aient des comptes à lui demander : « De quel droit, en vertu de quelle autorité, fais-tu cela ? Qui t'a donné autorité pour le faire ? » (Mc 11, 28). Et Jésus répond en se situant dans le sillage du Baptiste. L'épisode du Temple est bien dans la ligne de la prédication de Jean et de Jésus. Si l'on accède au pardon de Dieu en venant au baptême de Jean ou en adhérant à la prédication de Jésus, il n'est plus nécessaire d'offrir des sacrifices pour le pardon des péchés. Le lieu du pardon n'est plus le Temple, mais l'espace où se meut Jésus à la recherche des pécheurs, de la brebis perdue. Cette prise de position radicale de Jésus à l'égard du Temple lui vaudra la haine des grands-prêtres ; elle sera l'un des motifs invoqués pour sa condamnation à mort (Mc 14, 57-58).

C'est la liberté de Jésus à l'égard de la Loi qui sera inadmissible pour *les scribes et les pharisiens.* Jésus ne méprise pas la Loi mais, à la façon des prophètes anciens et avec une autorité souveraine, il se permet de dire le sens profond de la Loi. Cette autorité a beaucoup frappé ses auditeurs. Il ne s'agit pas seulement d'une « forte personnalité ». Quand les docteurs de la Loi ou la foule remarquent que Jésus parle « comme quelqu'un qui a autorité », cette observation a un caractère précis, presque technique. A l'époque, en effet, les maîtres *(rabbis)* appartenaient à des Écoles, et quand ils disaient les prescriptions de la Loi, ils se référaient toujours à ce qu'avaient enseigné les Pères. Devant un problème légal à résoudre, les rabbins disaient : « Maître X a dit ceci... Maître Y a dit cela... Maître Z a dit encore... » Et souvent une petite parabole, savant tissu de citations, était ajoutée afin de suggérer une orientation pratique. Toute parole de *rabbi* était ainsi située dans une tradition d'où elle tenait son autorité. Saint Paul, l'ancien pharisien, parlera de la sorte : « Je vous ai transmis, ce que j'ai moi-même reçu... » (1 Co 11, 23 ; 15, 3). Chez Jésus, rien de tel. Il parle de sa propre autorité, ne se réfère à aucune tradition quand il interprète la Loi de Moïse (Mc 10, 1-11) et il attribue de lui-même une signification de salut à ses miracles. Pour un juif pieux, un tel com-

2. Voir Ch. PERROT, *op. cit.*, p .147.

portement est d'une prétention exorbitante. Qui donc a donné autorité à Jésus pour agir de la sorte à l'égal du grand Moïse, à l'égal même de Dieu qui seul pardonne les péchés ? Ne va-t-il pas jusqu'à déclarer : « On vous a dit, et moi je vous dis ! » (Mt 5, 21-22, etc.) Quel est ce moi qui se met au-dessus du Temple et de la Loi, les deux piliers de la religion d'Israël ? Une telle prétention est blasphématoire.

Pour *la parenté,* pour ceux qui croient connaître depuis toujours le fils du charpentier, ses agissements bravent les autorités et ne peuvent être que ceux d'un fou. Aussi voyons-nous la mère et les frères de Jésus désireux de s'emparer de lui pour mettre fin à sa téméraire prédication. « On disait de lui dans sa parenté : il a perdu la tête » (Mc 3, 21, cf. 31-32).

La foule, elle, s'enthousiasme, elle accourt vers Jésus. A une époque où une vive attente habitait le peuple et où certains prétendus prophètes déplaçaient des multitudes en faisant miroiter à leurs yeux une délivrance de type messianique, Jésus pouvait être perçu « comme celui qui devait venir » (Mt 11, 3). En réalité, malgré l'enthousiasme, le malentendu est profond entre la foule et Jésus. Jésus se défie du messianisme, il ne vient pas pour une libération nationale attendue d'un descendant de David. Ce n'est pas à travers une action ou même une révolution politique qu'il accomplira sa mission. Comme pour écarter cette possibilité et dissuader ceux qui attendent sa réalisation, Jésus affirme que nul ne peut prétendre désigner le Messie : « De faux messies et de faux prophètes se lèveront et feront des signes et des prodiges pour vous égarer » (Mc 13, 22). Il met en garde contre « les faux prophètes qui viennent vêtus en brebis et qui au-dedans sont des loups rapaces » (Mt 7, 15). Galiléen, il sait bien à quels errements et à quels massacres ont mené les séditions de prétendus sauveurs. La venue du Règne de Dieu ne s'arrache pas des mains de Dieu par la force, nul n'en connaît l'heure qui reste le secret divin (Mc 13, 32). Les violents veulent forcer la main de Dieu et lui arracher le Règne (Mt 11, 12) : pour Jésus, ce Royaume appartient à ceux qui savent l'attendre comme des enfants, c'est-à-dire comme des êtres qui n'ont aucun droit à faire valoir (c'est la conception de l'époque), car le Royaume est grâce (Mc 10, 13-15).

La foule sera donc déçue. Le malentendu est à son paroxysme lors de la multiplication des pains. Jésus a pitié de la foule, elle est désemparée, sans pasteurs (Mc 6, 34) c'est-à-dire sans responsables, sans rois, selon la symbolique biblique. Ce partage des pains dans lequel la foule peut percevoir en Jésus celui qui refait le miracle de la manne au désert, à l'instar de Moïse, loin de permettre à la foule de reconnaître qui est vraiment Jésus, l'égare :

> A la vue du signe qu'il venait d'opérer, les hommes dirent : celui-ci est vraiment le Prophète, celui qui doit venir dans le monde. Mais Jésus, sachant qu'on allait venir l'enlever pour le faire roi, se retira à nouveau, seul, dans la montagne (Jn 6, 14-15).

Jésus déroute. Il suscite une grande espérance, mais ne semble pas prendre les moyens d'y répondre. Il soulève l'enthousiasme populaire, mais ne l'exploite pas pour faire advenir le règne messianique. Aux partisans du pouvoir qui veulent le prendre au piège, il déclare payer l'impôt — ce qui ne le met pas du côté de ceux qui désirent chasser les Romains, comme Judas le Galiléen qui refusait l'impôt — et en même temps, il rappelle la souveraineté de Dieu : rendez à César ce qui est à César — sa monnaie ! — mais à Dieu ce qui est à Dieu, c'est-à-dire tout et plus particulièrement l'homme qui porte l'image de Dieu comme la monnaie porte celle de César (Mt 22, 15-22). Jésus annonce le bonheur des pauvres, mais refuse de mettre fin aux structures politiques qui les oppriment. Il demande que l'homme soit mis au service de l'homme, que le pouvoir soit service fraternel, mais il ne crée pas de communauté de partage comme l'avaient fait les Esséniens retirés à Qumrân. Il lui arrive même de demander à ceux qui veulent le suivre de rester là où ils sont pour vivre de sa parole (Mc 5, 18-19) et, quand on vient le solliciter pour éclairer une situation ou régler un litige, il se récuse car il ne veut pas se mêler des affaires des autres (Lc 12, 13-14).

Que veut Jésus ? Qui est Jésus ? A-t-il accepté un titre de la foule ? S'est-il lui-même nommé ?

Le prophète des derniers temps

Jésus s'est toujours montré réticent à l'égard du titre de Messie qui connotait une intervention toute-puissante et une violence qu'il récusait. Mais il est une appellation qu'il semble avoir acceptée, celle de prophète[3]. Pourquoi ?

Au début de notre ère, la volonté de changement qui tra-

3. Donnée particulièrement mise en valeur dans la réflexion christologique de E.H. SCHILLEBEECKX ; voir « le Récit d'un vivant », *Lumière et Vie*, n° 134 (1977), p. 18-25.

vaillait les juifs palestiniens s'exprimait volontiers par l'attente d'un prophète. Un texte ancien, comme celui de Deutéronome 18, 15-18, où est promise la venue d'un prophète semblable à Moïse, avait une résonance d'autant plus forte que la figure de Moïse avait alors pris des traits extraordinaires. On projetait en celui qui avait apporté la Loi et conduit le peuple à travers le désert, toutes les espérances et toutes les souffrances d'Israël. Il était décrit à la fois comme le Prophète, par excellence, et le Serviteur qui portait la souffrance du peuple. Il était perçu comme l'être le plus proche de Dieu. Attendre un nouveau Moïse n'était donc pas attendre un prophète mais bien *le* Prophète définitif de Dieu. Avec lui, Dieu ferait à nouveau entendre sa voix et l'Esprit serait rendu au peuple.

A cette attente du prophète définitif, le prophète de la fin des temps, se mêlait l'attente du retour d'un autre prophète : Élie, car il n'avait jamais vu la mort et Malachie avait annoncé qu'il viendrait préparer le redoutable jour du Seigneur (Ml 3, 23). Dans un tel contexte, on comprend que la prédication de Jean Baptiste et celle de Jésus qui annonçaient la venue prochaine du Règne de Dieu, aient fait converger sur eux ces croyances. Les miracles de Jésus pouvaient donc être interprétés comme la répétition des miracles d'Élie et de son disciple Élisée (cf. Mc 6, 15 ; Lc 7, 16, 39 ; Jn 6, 14).

Jésus s'est méfié des faux prophètes qui conduisent le peuple à l'aventure, mais il n'a pas récusé systématiquement le titre de prophète que la foule lui conférait au vu de son action et de ses prodiges. Lui-même a évoqué son rejet de Nazareth en se situant dans la lignée des prophètes qui sont méprisés dans leur pays (Mt 13, 57). Sa prédication est bien le retour de la voix forte des prophètes d'Israël : celle de Jérémie criant contre le Temple, celle aussi de Jonas, témoin de la miséricorde de Dieu à l'égard des pécheurs — et Jésus sait qu'il laissera derrière lui ce signe de Jonas (Lc 11, 30) —, celle d'Isaïe annonçant le bonheur aux pauvres. Luc se fait sans doute un bon interprète du caractère prophétique de Jésus, quand, dans le récit inaugural de Nazareth (Lc 4, 16-21), il voit en lui celui qui accomplit l'oracle d'Isaïe 61. Avec la prédication de Jésus est à nouveau venu le temps de l'Esprit : dans ses paroles, dans ses miracles qui mettent en fuite les puissances du mal, les hommes sont invités à reconnaître l'Esprit de Dieu (Mt 12, 22-28). Avec Jésus et en Jésus, l'Esprit qui animait les prophètes n'est-il pas à nouveau actif au sein du peuple de Dieu ? C'est en tout cas ce qu'a compris très vite la communauté judéo-chrétienne, comme le montrent les récits du baptême de Jésus : les cieux se déchirent, la voix de Dieu se fait à nouveau entendre, l'Esprit vient sur Jésus.

Jésus a été perçu comme un prophète, il s'est même désigné ainsi, rapprochant sa mort prochaine de celle qui fut infligée aux prophètes. Pourtant ce titre ne permet pas de cerner l'ensemble de sa mission. Quand nous tentons de trouver enfin une expression qui dévoile davantage la figure énigmatique de Jésus, nous rencontrons inévitablement celle de « Fils de l'homme ».

Le Fils de l'homme

Il existe dans les évangiles des phrases, toujours placées sur les lèvres de Jésus, qui mettent en scène un personnage mystérieux, le Fils de l'homme. Citons un seul exemple. Parlant à ses disciples, Jésus leur déclare : « Si quelqu'un veut être le premier parmi vous, qu'il soit l'esclave de tous. Car le Fils de l'homme est venu non pour être servi, mais pour servir et donner sa vie en rançon pour la multitude » (Mc 10, 44-45). Jésus semble parler de lui, mais il introduit une certaine distance entre lui et cette expression qui, la plupart du temps, est utilisée par Jésus pour dire la puissance de la gloire et du jugement ou l'impuissance du service et de la mort. Que Jésus ait prononcé ou non ces phrases, un fait est certain : en les plaçant toutes sur ses lèvres, les évangélistes ont voulu présenter un des aspects fondamentaux et spécifiques de la mission de Jésus et, de plus, très lié au mystère de sa personne. Quel est-il ?

La question du Fils de l'homme est l'une des plus difficiles de l'exégèse du Nouveau Testament. Il ne peut être question d'en présenter ici le dossier, ni même de le résumer[4]. En fonction de notre propos, je présente quelques résultats susceptibles de nous éclairer. Rappelons d'abord que les évangiles se réfèrent le plus souvent à ce titre en situant à l'arrière-plan un texte de Daniel où le Fils de l'homme apparaît dans le contexte du Jugement dernier. Il reçoit de Dieu gloire et royauté, si bien que les nations se mettent à le servir. Il semble que dans le livre de Daniel ce personnage désigne le peuple d'Israël dans sa gloire future, mais à l'époque de Jésus certains écrits avaient déjà personnalisé cette figure symbolique, voyant en elle le Messie. Voici le texte de Daniel :

---

4. Pour cela, lire le remarquable chapitre de Ch. PERROT, *op. cit.*, p. 241-272.

> Je regardais dans les visions de la nuit, et voici qu'avec les nuées du ciel venait comme un Fils d'homme : il arriva jusqu'au Vieillard, et on le fit approcher en sa présence. Et il lui fut donné souveraineté, gloire et royauté : les gens de tous les peuples, nations et langues le servaient (Dn 7, 13-14).

On comprend que les premières communautés de Palestine aient rapproché le Christ ressuscité de ce Fils de l'homme. « Fils », il l'était, elles confessaient qu'il était Fils de Dieu. « Homme » il l'était aussi. Bien plus il portait, comme Messie, le destin de l'humanité. C'est ce que Paul traduira avec le thème du Christ Adam. « Fils de l'homme » était donc un titre qui semblait convenir très bien à Jésus glorifié à qui était désormais reconnue la fonction du Jugement. Si ces rapprochements éclairent l'usage que la communauté a pu faire du titre en l'attribuant de façon unique à Jésus, on peut se demander pourquoi les textes l'emploient d'une façon telle qu'ils suggèrent que l'expression désigne en quelque sorte le « je » de Jésus et, qui plus est, un « je » situé dans la faiblesse et l'opposition, loin encore de la gloire et de la puissance du grand juge des derniers temps.

Pour comprendre cet usage et découvrir ce qu'il nous révèle de la personne de Jésus, revenons à l'essentiel de l'action du prophète de Nazareth. Il cesse de baptiser parce que sa propre existence est le signe de la présence de Dieu, l'espace du pardon de Dieu parmi le peuple. Dans son combat contre les puissances qui aliènent les hommes, dans sa lutte pour les libérer des jougs — qu'il s'agisse de la Religion du Temple ou de la Loi, ou encore du mépris des savants à l'égard des « pécheurs » — Jésus fait de son existence concrète le lieu où est annoncé le Règne, où est proclamée la venue de Dieu. En d'autres termes, l'attitude que l'on a à l'égard de ce qu'il dit et de ce qu'il fait est une attitude que l'on adopte à l'égard de Dieu même. Ce qu'on décide vis-à-vis de lui, on le décide vis-à-vis de Dieu. Telle est la prétention que Jésus reconnaît à sa mission et à sa personne, et ce faisant il se présente également comme l'occasion d'un certain jugement. Les hommes seront jugés par Dieu en fonction de l'attitude qu'ils auront eue à l'égard de la personne de Jésus. Nous retrouvons bien ici, en filigrane, ce qui était évoqué dans le livre de Daniel. Dans la faiblesse, voire sous le signe de l'impuissance, se joue, en Jésus, le jugement qui sera manifesté dans la gloire et la puissance aux derniers temps.

Il n'est pas étonnant que cette fonction décisive de Jésus parmi les hommes ait été exprimée dans les évangiles à l'aide du titre du Fils de l'homme. En Luc 12, 8-9 (comp. Mt 10, 32-33), Jésus proclame :

> Je vous le dis : quiconque se déclarera pour moi devant les hommes, le Fils de l'homme aussi se déclarera pour lui devant les anges de Dieu.

Autrement dit, l'action souveraine de Dieu qui juge, passe par Jésus. Il est alors compréhensible que les évangélistes — pour ne pas dire Jésus lui-même — aient fait appel à l'expression « Fils de l'homme » pour désigner celui qui se trouvait investi d'une telle mission. Au livre de Daniel, ces mots évoquent celui qui reçoit de Dieu le jugement dans la gloire des derniers temps. Dans les évangiles, Jésus est le Fils de l'homme parce que sa vie et sa personne sont le lieu de la décision pour Dieu, et par conséquent du jugement que Dieu va rendre. Mais, point notable, dans la vie de Jésus cet espace n'est pas celui des nuées glorieuses, mais l'espace d'une vie d'homme qui loin de se faire servir se met au service de tous jusqu'à jouer son existence dans la plus totale impuissance, celle de la mort. Nous retrouvons un paradoxe qui est bien celui de la personne de Jésus où se rencontrent les prétentions les plus hautes sous les traits du plus grand service, celles du témoin d'un Dieu qui juge non avec colère mais avec miséricorde. Une fois de plus on s'explique pourquoi les évangélistes ont tenu à réserver à Jésus lui-même un usage si paradoxal du titre de Fils de l'homme.

Qui est Jésus ? Il est reconnu comme LE prophète attendu des derniers temps, celui qui va prononcer sur Dieu et son Règne la Parole définitive. Mais Jésus est plus qu'un prophète : Fils de l'homme, il invite à se décider pour Dieu, il est lui-même le lieu de la décision. Se décider pour Jésus c'est se décider pour Dieu, et cette décision engage la destinée ultime de l'homme, son Jugement. Quel est donc cet homme ? Qui est-il pour Dieu et qui est Dieu pour lui ?

Qui est Dieu pour Jésus ?

Jésus n'a pas refusé qu'on voie en lui celui qui dit la Parole ultime sur Dieu qui vient. Il a sans doute laissé entendre que ce qui se décide pour ou contre lui est une décision prise à l'égard de Dieu. Mais il n'a pas dit : Je suis le Prophète attendu, ni : Je suis le Fils de l'homme. Abordant maintenant la question de la relation de Jésus à Dieu, ne nous attendons pas à trouver une parole déclarant : Je suis le Fils de Dieu. Au reste, pourquoi vouloir à tout prix découvrir ce type de parole ? Jésus a laissé à d'autres le soin de le désigner. Il a agi, parlé. Ceux qui doivent le nommer le feront en se prononçant sur ce qu'il a dit et fait, en le jugeant à ses œuvres, en prenant parti, en se décidant pour ou contre lui. « Et vous, qui dites-vous que je suis ? » interroge Jésus (Mc 8, 29). Jésus n'a pas voulu répondre à la place de ses auditeurs en distribuant à son sujet des étiquettes.

Si Jésus ne se désigne pas directement comme Dieu ni comme Fils de Dieu, peut-on déceler, au long de son itinéraire, des traces, des signes permettant d'affirmer qui il a conscience d'être pour Dieu ? Afin de répondre à cette question, rappelons les résultats déjà acquis. Au long des pages précédentes, un certain nombre de données concernant les « prétentions » de Jésus ont été relevées : prétention d'être l'égal de Moïse, d'être au moment décisif de l'histoire de son peuple, d'être celui qui est directement compromis dans la venue du Règne, et face auquel il convient de se décider pour accueillir Dieu ; prétention aussi d'être auprès des pécheurs et des exclus l'expression visible de la tendresse de Dieu. Situées dans le cadre de sa prédication, de telles prétentions sont extrêmes. Elles posent une question fondamentale. De quelle autorité dit-il cela ? On peut interpréter ces prétentions comme celles d'un fou ou d'un prophète cédant à la mégalomanie de ses désirs. Les évangiles disent que les pharisiens répondent à la question en accusant Jésus de blasphème, car leur cœur s'est endurci (Mc 3, 5 ; 8, 17). Si l'on ne veut pas opter comme les pharisiens, que répondre ? Sans doute peut-on dire, comme le feront les disciples d'Emmaüs, que Jésus est un prophète puissant en action et en parole, qu'il doit libérer Israël (Lc 24, 21). Mais dire cela est encore rester en deçà de ce que Jésus prétend être, sinon en paroles, du moins en actes. Est-il possible, à partir des prétentions de Jésus, de dégager la conscience qu'il a de sa mission ? Que disent les textes ? Les analyses qui permettent parfois d'approcher certaines paroles historiques de Jésus, permettent-elles de cerner avec certitude la relation de Jésus à Dieu, la conscience qu'il avait de sa place dans le dessein... et le cœur de Dieu ?

Depuis les travaux de l'exégète J. Jeremias[5] qui, sur ce point, n'ont jamais été contredits de façon convaincante, les biblistes sont généralement d'accord pour affirmer que, durant sa vie terrestre, Jésus s'est adressé à Dieu sous une forme

5. Notamment *Abba. Jésus et son père,* Seuil, 1972 (traduction partielle de l'original allemand).

très personnelle qui n'était pas en usage à son époque. Il appelle Dieu « mon père », et il est vraisemblable que, sous l'appellation « père », se trouve l'expression araméenne : *Abba* qui littéralement signifie « papa ». Elle est citée une fois en araméen dans les évangiles, dans le récit de l'agonie selon Marc (Mc 14, 36).

Que recouvre exactement cette invocation de Dieu comme père ? C'est, une fois encore, le comportement concret de Jésus qui nous fait approcher le mystère de son intimité avec Dieu. Nous retrouverons ce donné en évoquant ultérieurement l'espérance de Jésus face à la mort. Mais quelques-unes de ses paroles le laissent pressentir, ainsi cette déclaration dont l'authenticité est souvent soutenue : « Tout m'a été remis par mon Père. Nul ne connaît le fils si ce n'est le père, et nul ne connaît le père si ce n'est le fils, et celui à qui le fils veut bien le révéler » (Mt 11, 27 ; cf. 16, 17 ; Mc 13, 32 ; Lc 22, 29). Jésus explique ce qu'est Dieu pour lui en faisant appel à l'expérience humaine d'une profonde entente entre un père et un fils qui se connaissent intimement.

Jésus lève-t-il là le voile sur son intimité avec Dieu ? L'assurance qu'expriment ses prétentions a-t-elle sa source dans l'union mystique de Jésus à Dieu au creux de sa prière ? Quand Jésus se veut témoin d'un Dieu de miséricorde et de pardon, n'est-ce pas parce qu'il fait lui-même l'expérience de la tendresse de Dieu ? Il n'est pas possible de le dire, ni de l'exclure. Dans quelle mesure son entourage et ses interlocuteurs ont-ils eu connaissance de la façon dont il s'adressait à Dieu ? Nous ne le savons pas. Si ses adversaires ne reprochent jamais à Jésus sa façon de prier — qui, elle aussi, émet une étonnante prétention ! — c'est sans doute que seuls les familiers de Jésus ont accès à cette intimité. C'est à eux que Jésus apprend à prier, c'est avec trois d'entre eux qu'il monte à la montagne de la transfiguration et qu'il se retrouve à Gethsémani. Il est certain, en tout cas, que la façon familière — pour ne pas dire familiale — dont Jésus a prié Dieu, a vivement frappé ses disciples, puisque les premières communautés ont gardé dans leur propre liturgie le précieux mot *Abba* en araméen, et qu'elles n'ont osé le prononcer qu'assurées de la présence de l'Esprit de Jésus (Rm 8, 15 ; Ga 4, 6).

Qui est donc Jésus ? Indéniablement « un homme qui passe en faisant le bien » (Ac 10, 38), en présentant de Dieu un visage de miséricorde, en mettant l'amour au sommet de la Loi, comme premier commandement du service de l'homme et du service de Dieu. Pourtant cet homme ne se réclame d'aucune autorité humaine pour annoncer un tel message, présenté comme un ultime appel à la conversion pour accueillir le Règne de Dieu que sa personne même rend déjà présent parmi le peuple. Est-ce donc lui le Prophète attendu ? S'il est ce Prophète, ne doit-il pas se manifester dans la puissance, en prenant appui sur des forces humaines afin d'opérer la délivrance d'Israël ? Ne doit-il pas s'assurer du Temple, de la Loi, de la puissance messianique ? Quel est donc cet homme qui fait naître une si grande espérance et suggère tant de lui, mais qui semble réaliser si peu de choses à l'échelon de son peuple ?

Les contemporains de Jésus ont buté sur cette question. Finalement ils n'ont pas cru en lui, en sa voie. Hormis quelques-uns, ils ne l'ont pas suivi. Jésus a voulu rassembler son peuple, mais le peuple, lui, n'a pas voulu (Mt 23, 37). Une nouvelle étape s'ouvre dans l'itinéraire de Jésus : celle que Luc présente comme une montée à Jérusalem, montée qui est aussi une élévation, élévation sur une croix, élévation à la droite du Père.

4

LA FIDÉLITÉ JUSQU'AU MARTYRE

La prédication du Règne rencontre l'opposition de la part des chefs religieux, elle inquiète les responsables politiques, les Hérodiens, car elle soulève l'enthousiasme des foules auxquelles Jésus donne l'espérance folle d'une libération. Pourtant il ne veut pas aller dans le sens de cette attente. Une rupture va s'opérer entre lui et le peuple.

Il est difficile, on le sait, de situer chronologiquement les divers épisodes évangéliques, hormis les événements de la fin de la vie de Jésus, à Jérusalem. Toutefois il est possible de repérer avec précision, dans le déroulement de la mission de Jésus, un moment où il s'éloigne des foules. Les évangélistes situent ce moment dans le contexte de la multiplication des pains : Jésus partage le repas avec la foule, on lui propose le pouvoir, mais il refuse, s'éloigne, se tourne vers le groupe de ses disciples à qui il pose, en quelque sorte, la question de confiance (Jn 6, 60-71 ; Mc 8, 27-31). Marc explique qu'à partir de ce moment-là, Jésus commença à parler de sa fin tragique (Mc 8, 31 ; cf. 9, 31 ; 10, 33). Il semble donc, qu'à un moment donné de sa prédication, Jésus ait clairement perçu qu'il allait à l'échec s'il persistait dans sa voie initiale. Ne disons pas trop facilement : Jésus savait d'avance où il allait ! Ce serait lui enlever toute vraisemblance humaine. Jésus a prêché la venue proche du Règne de Dieu. Son action, sa personne entière sont vouées à cette annonce et à son accueil par tous au moyen de la conversion. Si le peuple refuse, c'est l'échec : Jésus ne peut accomplir sa mission, telle qu'il l'envisage.

En outre, la mort commence à se profiler à l'horizon. Déjà le Baptiste a été exécuté par Hérode, et l'on sait que Jésus a été saisi par l'annonce de cette mort. « A cette nouvelle, Jésus se retira vers un lieu désert, à l'écart », écrit Matthieu (14, 13). On sait également que la cause de la mort de Jean était le retentissement populaire de son action. Disciple du Baptiste, Jésus est soupçonné de la même façon : entendant parler de lui, Hérode perçoit Jésus comme un nouveau Jean Baptiste. Il n'est pas étonnant, par conséquent, que certains aient mis Jésus en garde en lui annonçant qu'Hérode cherchait à le faire disparaître (Lc 13, 31). Une phrase de Jésus indique bien que la situation s'est dégradée :

> Il dit à ses disciples : « Lorsque je vous ai envoyés sans bourse, ni sac, ni sandales, avez-vous manqué de quelque chose ? » Ils répondirent : « De rien ». Il leur dit : « Maintenant, par contre, celui qui a une bourse, qu'il la prenne ; de même celui qui a un sac ; et celui qui n'a pas d'épée, qu'il vende son manteau pour en acheter une. » (Lc 22, 35-36).

Jésus commence à parler de sa mort à ses disciples. Il n'a pas besoin de recevoir pour cela de révélations spéciales : l'attitude des chefs religieux et les intentions d'Hérode sont suffisamment explicites. Comment donc réalisera-t-il sa mission ? Une solution est possible : changer d'orientation afin d'éviter le pire. Ce n'est pas là pure supposition d'exégète. Quand Jésus dit à Pierre comment tout cela finira, son disciple se révolte. On sait la terrible réplique de Jésus : « Arrière, Satan, retire-toi, tes vues ne sont pas celles de Dieu mais celles des hommes ! » (Mc 8, 33). Mais quelles sont les pensées de Dieu ?

Après la fin tragique et scandaleuse de Jésus, les communautés se sont interrogées sur son choix et sa détermination à y rester fidèle au point d'en mourir. Elles ont même perçu que ce choix caractérisait toute l'action de Jésus. Voilà pourquoi les évangélistes ont présenté ce choix dans une composition très étudiée qu'ils ont placée au seuil de la prédication évangélique. C'est ce qu'on appelle généralement les récits des tentations de Jésus (Mc 1, 12-13 ; Mt 4, 1-11 ; Lc 4, 1-13).

La détermination de Jésus

Le mot français *tentation* ne convient pas bien ici, car il exprime une certaine complicité entre le tentateur et sa « victime ». Le terme grec correspondant signifie exactement *mise à l'épreuve.* Dans la Bible, les mises à l'épreuve sont surtout évoquées à propos d'événements qui peuvent séparer de Dieu les croyants. Dans les « récits des tentations de Jésus », les évangélistes, avec des accents différents, présentent Jésus comme celui qui incarne la destinée d'Israël : comme le peuple après la traversée de la Mer Rouge, Jésus est mené au désert après son baptême pour y subir les épreuves qu'avaient endurées les Hébreux. Et les récits montrent que Jésus triomphe là où le peuple a succombé. Cette page donne donc l'orientation d'ensemble de la mission de Jésus. Relisant, après sa mort, la vie de leur maître, les chrétiens l'ont placée sous ce choix initial qui mène Jésus jusqu'à l'extrême de la fidélité. Quel est ce choix ?

Paradoxalement, il ne se présente pas de façon positive, mais sous la forme d'un triple refus opposé aux suggestions du Tentateur.

La première suggestion est celle de changer les pierres en pain. Jésus répond en citant le Deutéronome : « L'homme ne vivra pas de pain seul, mais de toute parole qui sort de la bouche de Dieu » (Mt 4, 4 ; cf. Dt 8, 3). Jésus refuse de faire le signe de l'Exode, de répondre à sa faim par le don de la manne descendu dans le désert de pierres. Nous retrouvons le contexte de la prédication : à la demande des foules qui désirent du merveilleux, s'offre pour Jésus un chemin, éphémère peut-être, mais glorieux. La voie de Jésus n'est pas celle de la puissance, mais celle de l'écoute et de l'obéissance à la Parole. Comment se fait-il que Jésus, reconnu par les chrétiens comme Fils de Dieu, ait eu un sort tragique ? A cette question les évangiles répondent : il obéissait à la Parole du Père et non à l'attente des hommes en quête de merveilleux.

Une deuxième épreuve est située au sommet du Temple de Jérusalem. Le dialogue fait ici appel au Ps 91, 11-12 qui assure le juste du secours de Dieu. Dans l'Ancien Testament, Dieu met à l'épreuve ceux qu'il aime. Si donc Jésus est juste et aimé de Dieu, comme il vient de se l'entendre dire au baptême, qu'il se jette du haut du Temple, Dieu le protégera. L'insinuation est aiguë : si toi Jésus, tu veux avoir l'assurance que ta façon de faire est juste, jette-toi en bas ; oblige Dieu à t'en donner une preuve. Dans sa réponse, Jésus se réfère à une autre épreuve de l'Exode, celle de la soif. Craignant de mourir de soif, le peuple avait alors douté de la présence de Dieu, il avait demandé : « Le Seigneur est-il au milieu de nous, oui ou non ? » (Ex 17, 1-7 ; cf. Nb 20, 1-3). Devant les oppositions qui pouvaient le conduire à douter que la voie qu'il avait choisie fût la bonne, Jésus fit l'expérience du silence de Dieu. La communauté qui connaît la vie de Jésus, a éprouvé la présence de ce silence. Évoquant les derniers moments du Christ en croix, nous retrouverons cette épreuve. Des gens ont alors crié : « Si tu es le Fils de Dieu, jette-toi en bas de la croix. » Dans le récit du Temple, Satan dit : « Si tu es le Fils de Dieu, jette-toi en bas ! » (Mt 27, 40 ; 4, 6). La tentation est située au Temple, parce que le Temple est le lieu de la présence de Dieu. Jésus n'a pas voulu donner des preuves de cette présence. Jusque sur la croix, il a éprouvé le silence et l'absence de Dieu. Les chrétiens ont perçu dans sa mort le fruit d'une fidélité radicale à Dieu, dans la foi, sans l'appui de signes, encore moins de preuves. L'option de Jésus était la fidélité à la Parole.

La dernière épreuve a pour cadre une haute montagne. Le texte évoque Deutéronome 34, 1-4 qui fait référence à Moïse contemplant la terre promise sur le Mont Nébo. Satan promet à Jésus le monde entier. A cette époque, on admet couramment que le monde est le domaine du diable. Parce qu'il prêche le Règne de Dieu, Jésus doit prendre possession de ce monde. Satan lui propose un marché : Jésus accomplira sa mission s'il adore le Prince de ce monde. Jésus a refusé la domination terrestre. A la proposition du Tentateur, il répond : « Arrière, Satan ! » C'est l'expression qu'il utilise pour morigéner Pierre (Mc 8, 33). Dans la vie de Jésus, les épreuves ne sont pas seulement venues du côté de ses ennemis : ici c'est l'un de ses plus proches qui lui suggère un chemin qui l'éloignerait de son Père. Ce que les Évangélistes ont situé au début de l'action publique de Jésus, fut une constante de sa vie : appelé « Fils » au baptême, investi comme prophète, Jésus se laisse mener par l'Esprit selon les voies de Dieu, et non par les sentiers faciles que lui proposent les hommes. Il ne cède pas aux instigations des foules, des chefs religieux, de ses disciples, de sa parenté. Sa voie est autre et elle déroute. L'exigence de la fidélité à la Parole du Père semble mener Jésus à une impasse. Comment trouver une issue et donner sens à cet échec ?

La perspective du martyre

L'homme est affronté à la mort qu'il rencontre chez les autres avant de l'envisager pour lui. En ces occasions, il cherche à donner un sens à ce qui paraît une fatalité absurde. Jésus est un homme. Il a une mission à remplir et lui voue son existence : annoncer le Règne de Dieu, inviter au changement radical et à la conversion, instaurer entre les hommes des relations fraternelles, accueillir la bonne nouvelle de l'inconditionnel amour de Dieu. Jésus se heurte aux conformismes des ambitions, des pouvoirs, de la religion. Sa voie est rejetée, mais il n'en veut pas d'autre. Sa fidélité à la Parole le conduit inéluctablement à la mort que préparent ses adversaires. Comment Jésus a-t-il compris cette mort ?

Les textes présentent des paroles de Jésus affronté à la mort. Ils sont chargés de la signification que les chrétiens ont attribuée à la croix, à partir des Écritures, pour en surmonter le scandale. Comme dans les chapitres précédents, tentons de viser ce qu'a pu vivre Jésus, à partir des passages évangéliques qui nous disent comment les chrétiens ont compris sa mort.

Depuis la période des frères Maccabées, morts martyrs au IIe siècle avant J.-C., parce qu'ils s'opposaient à la domination païenne des Grecs, s'était développée en Israël une théologie du martyre. La réflexion sur la mort violente des justes s'était également étendue à celle des prophètes. Certaines paroles de Jésus sont proches des pensées qu'on peut lire dans des écrits juifs contemporains, tel *la Vie des prophètes*, où il est raconté qu'Isaïe fut scié en deux, et Jérémie lapidé par le peuple. L'épître aux Hébreux se fait aussi l'écho de ces croyances (cf. He 11, 32-40). Jésus lui-même invective ceux qui ont tué les prophètes et se lamentent sur « le sang des justes répandu sur la terre, depuis le sang d'Abel le juste jusqu'au sang de Zacharie, fils de Barachie, que vous avez assassiné entre le sanctuaire et l'autel » (Mt 23, 35). Il situe aussi la mort de Jean Baptiste dans la lignée de ces martyrs : « Élie est déjà venu, dit-il à son sujet, et ils ne l'ont pas connu mais ils lui ont fait tout ce qu'ils ont voulu. » Puis il ajoute : « De même aussi le Fils de l'homme va souffrir par eux » (Mt 17, 12-13). Disciple de Jean, prophète ultime de Dieu, Jésus envisage pour lui le sort tragique des prophètes. A Jérusalem, il a sous les yeux, dans la vallée du Cédron, de très beaux monuments que ses contemporains édifient à la gloire des prophètes martyrs, mais il sait que les fils qui construisent ces tombeaux pour expier la faute de leurs pères, agiront de la même façon. Il s'écrie :

> Malheureux, scribes et pharisiens hypocrites, vous qui bâtissez les sépultures des prophètes et décorez les tombeaux des justes, et vous dites : « Si nous avions vécu du temps de nos pères, nous n'aurions pas été leurs complices pour verser le sang des prophètes. » Ainsi vous témoignez contre vous-mêmes : vous êtes les fils de ceux qui ont assassiné les prophètes ! (Mt 23, 29-31).

Malgré les menaces et l'opposition de ses disciples, Jésus ne change pas de voie. Sa fidélité le conduit là où meurent les prophètes : « Il me faut poursuivre ma route aujourd'hui et demain et le jour suivant, car il n'est pas possible qu'un prophète périsse hors de Jérusalem » (Lc 13, 33).

Jésus sait sa mort prochaine, il la situe dans la lignée des envoyés de Dieu. Tout fils qu'il est, il pressent que le sort qui l'attend est la mort, comme le suggère la parabole des vignerons homicides (Mc 12, 1-12). Se situer ainsi, c'est déjà donner un sens à sa mort, car c'est l'envisager en fonction du dessein mystérieux de Dieu. Trouve-t-on dans les textes d'autres indices qui permettent d'affirmer que Jésus a explicitement lié sa mort à l'accomplissement de sa mission au service du Règne de Dieu ? Ou, pour poser autrement la même question, Jésus a-t-il entrevu une « suite » à sa mort ? Quelle fut son espérance ?

L'espérance de Jésus face à la mort

Par fidélité à la parole du Père, Jésus va « aimer jusqu'à l'extrême » (Jn 13,1). Certaines paroles évangéliques évoquent la fécondité de ceux qui donnent leur vie pour les autres, qui acceptent de perdre leur vie pour accéder à une existence nouvelle. Trouve-t-on des passages où se perçoit chez Jésus une semblable espérance ? Que va-t-il advenir de ce qu'il a commencé de faire exister avec ses disciples ?

Trois groupes de paroles, qui sont vraisemblablement des échos fidèles des déclarations de Jésus, permettent de répondre affirmativement à ces questions. Elles concernent la mort de Jésus présentée comme un baptême, les annonces de sa résurrection, certaines confidences du dernier repas.

Deux paroles mises sur la bouche de Jésus, présentent sa mort comme un baptême (Mc 10, 38-45 et Lc 12, 50). Ce rapprochement est des plus intéressants. Le baptême est dans la vie de Jean Baptiste le signe qui authentifie sa mission : son message s'accomplit dans le geste baptismal, comme nous l'avons vu. Dans le cas de Jésus, et c'est son originalité, c'est l'ensemble de l'existence qui est le signe et le lieu du pardon de Dieu. Autrement dit, toute sa vie est pour Jésus ce qu'était pour Jean le signe baptismal.

La première parole se lit en Mc 10, 38-45 et se trouve insérée dans l'épisode où les fils de Zébédée demandent à Jésus de siéger à ses côtés dans la gloire. Jésus leur demande alors : « Pouvez-vous être baptisés du baptême dont je vais être baptisé ? » Et le texte se poursuit par un petit sermon s'achevant sur ces mots : « Si quelqu'un veut être le premier parmi vous, qu'il soit l'esclave de tous. Car le Fils de l'homme est venu non pour être servi mais pour servir et donner sa vie en rançon pour des multitudes. » La mort de Jésus peut être comparée au baptême de Jean, car c'est dans la mort que le signe qu'est la vie donnée de Jésus devient le plus manifeste. La mort de Jésus sera ainsi une source d'où jaillira le pardon.

L'autre parole se lit en Lc 12, 49-50 : « C'est un feu que je suis venu apporter sur la terre, et comme je voudrais qu'il soit déjà allumé ! C'est un baptême que j'ai à recevoir, et comme cela me pèse jusqu'à ce qu'il soit accompli ! » Nous retrouvons le contexte de l'établissement eschatologique du Royaume, évoqué par l'image du feu qui, dans la symbolique biblique, accompagne le jugement de Dieu. La parole est donc en situation : totalement compromis dans la venue du Royaume de Dieu, Jésus aspire à l'accomplissement de sa mission ; elle se réalisera dans sa mort. En elle se concentreront l'être et le message de Jésus, comme dans le baptême se concentrait toute la parole de Jean appelant à la conversion et au salut.

Jésus a cru que par sa mort Dieu ferait advenir le Règne. Il a cru aussi que Dieu ne l'enfermerait pas dans la mort. Cela ressort de certaines *annonces de la résurrection* (Mc 8, 31 ; 9, 31). Du fait que ces prédictions disent que « le troisième jour il ressuscitera », certains auteurs pensent qu'elles ont été amplifiées après coup par les chrétiens. Cela n'est pas impossible, mais l'on se trompe souvent sur la désignation du « troisième jour ». Cette notation a un sens symbolique. A l'époque de Jésus, elle désigne le jour de la fin des temps. Quand Jésus affirme qu'il ressuscitera le troisième jour, cela signifie : « Je ne serai pas absent lors de la résurrection des morts. » Il proclame son espérance : malgré l'échec et la mort, il ressuscitera le dernier jour.

Certaines paroles du dernier repas, la veille de sa mort, permettent de préciser que Jésus a espéré la résurrection des morts non seulement pour lui, mais aussi pour les siens. Sans faire ici l'analyse des récits de l'institution de l'eucharistie, dans lesquels les premières communautés ont raconté la Cène en faisant appel à leurs propres traditions liturgiques, recueillons quelques données généralement considérées comme étant proches de certains dires de Jésus ce soir-là.

Ce repas a une grande force symbolique. Au long de son existence, Jésus a exprimé ses solidarités dans des repas. Il fut perçu comme celui qui mangeait et buvait avec les pécheurs et les exclus, donc comme celui qui prétendait faire alliance avec eux au nom même de Dieu. Lors du dernier repas, Jésus reprend cette symbolique et y rassemble encore tout ce qu'il a voulu être. Dès lors il n'est pas étonnant que la tradition chrétienne ait vu dans ce partage une prophétie vivante du don que Jésus ferait de sa vie sur la croix. Au cours de la Cène, à propos de la coupe, Jésus déclare :

> En vérité, je vous le dis : jamais plus je ne boirai du fruit de la vigne jusqu'à ce jour où je le boirai, nouveau, dans le Royaume de Dieu (Mc 14, 25 ; cf. Mt 26, 29 ; Lc 22, 18).

Jésus affirme son espérance d'être réuni aux siens pour le banquet du Royaume : le chemin qui s'ouvre devant lui et qui aboutira à la résurrection sera un chemin que les siens emprunteront pour le rejoindre à la table de Dieu.

On peut aller plus loin dans l'expression de l'espérance de Jésus. Dans le cadre de la Cène, Luc a composé, à l'aide de paroles de Jésus, un petit discours dans lequel le Maître laisse des consignes à son groupe (Lc 22, 24-31). N'est-ce pas supposer que le groupe survivra à sa mort ? Or, pour un disciple du Baptiste, émettre un tel vœu, c'est affirmer implicitement qu'il sera avec les siens pour pousuivre le combat au-delà de la mort. Les groupes baptistes, en effet, ont leur cohésion en celui qui les a rassemblés. Y a-t-il dans ces paroles de Jésus l'expression d'une espérance qu'avant la fin des temps il reviendra vivant assister mystérieusement ses disciples ? Ce n'est pas impossible...

La foi du Fils quand Dieu se tait

Après avoir célébré son espérance en ramassant dans un repas toute la signification de sa vie, Jésus entre dans la nuit. C'est le moment de l'agonie, le jugement rapide, la dérision et la flagellation, le crucifiement. C'est le temps de l'épreuve et de la solitude, le temps du silence de Dieu. C'est le temps de la foi dans les ténèbres les plus épaisses.

Dans les récits de l'agonie, les disciples ont voulu dire qu'en ce moment de l'épreuve Jésus avait prié. Quand Dieu se tait, il se tourne toujours vers lui. Le lien qui le rattache à lui ne se rompt pas, et pourtant c'est l'heure de Satan qui veut séparer Jésus du Père. Avec toute leur richesse, les diverses traditions évangéliques ont dit la densité de cette prière qui n'eut aucun témoin. « *Abba !* Père ! » C'est de cet instant que Marc (14, 36) a voulu recueillir ce mot qui livre le secret même de Jésus, sa filiation privilégiée.

Le mot de foi convient ici pour parler de la relation de Jésus à Dieu. Quand il ne reste devant lui que des disciples endormis prêts à l'abandonner et des adversaires déterminés à le tuer, Jésus, qui proclame la venue imminente du Règne de Dieu, trouve encore la force de prier celui qu'il appelle « Père ». La tradition chrétienne n'a pas seulement recueilli ce mot. Avec l'épître aux Hébreux, elle a fixé cet instant comme l'expression la plus pure de la foi qui sauve. A ce moment, Jésus est pour tous ceux qui le suivront, le pionnier de la foi :

> Le Christ, au cours de sa vie terrestre, offrit prières et sup-

> plications avec grand cri et larmes à celui qui pouvait le sauver de la mort, et il fut exaucé en raison de sa soumission. Tout Fils qu'il était, il apprit par ses souffrances l'obéissance, et, conduit jusqu'à son propre accomplissement, il devint pour tous ceux qui lui obéissent cause de salut éternel (He 5, 7-9).

> Rejetons tout fardeau et le péché qui sait si bien nous entourer, et courons avec endurance l'épreuve qui nous est proposée, les regards fixés sur celui qui est l'initiateur de la foi et qui la mène à son accomplissement, Jésus, lui qui, renonçant à la joie qui lui revenait, endura la croix au mépris de la honte et s'est assis à la droite du trône de Dieu (He 12, 1-2).

La foi de Jésus s'exprime aussi dans le cri qu'il poussa sur la croix. Quel fut ce cri ? Les évangélistes l'ont exprimé de façon différente. La confusion des auditeurs qui ont pris l'appel de Jésus pour une invocation à Elie, laisse entendre cependant que Jésus invoquait Dieu, car, en araméen, les mots se ressemblent.

Marc souligne la détresse en évoquant l'abandon avec une phrase araméenne ; c'est, chez lui, une façon de se rapporter à un dire de Jésus. Matthieu transforme la parole de Marc et la transcrit en hébreu ce qui évoque le premier verset d'un psaume (Ps 22, 1). Luc fait entendre une parole de pardon : sur la croix Jésus a foi qu'un nouvel avenir est possible pour les pécheurs qui le tuent, il est jusqu'au bout le témoin du Royaume qui brise la haine. Sa prière est celle du juste souffrant qui pardonne et s'en remet au Père (Ps 31, 6). Jean exprime la souffrance de la soif : soif dans la détresse, soif de la venue de Dieu (Ps 63, 2). Il dit aussi l'ultime effort du Fils qui va au bout de son amour. Oui, tout est achevé (Jn 19, 30).

Le vendredi 7 avril de l'an 30, le prophète Jésus de Nazareth s'est tu. C'était pour les chefs religieux une affaire expédiée que l'imminente célébration de Pâques ferait vite oublier. C'était pour ses disciples la fin d'une grande espérance, celle de la délivrance d'Israël. Au-dessus de la tête du crucifié, un écriteau : « Jésus le Nazaréen, Roi des Juifs ». Celui qui avait refusé de céder aux pressions de ceux qui voulaient faire de lui un instrument de pouvoir au service de leurs espoirs politiques, était reconnu par dérision comme un agitateur par l'occupant romain. On avait volé à Jésus jusqu'au sens de sa mort.

Dieu allait-il continuer à se taire ?

Notre démarche s'est située jusqu'à présent au niveau des données sur l'existence terrestre de Jésus : à partir des interprétations chrétiennes, nous avons tenté de retrouver le chemin du prophète de Galilée et l'écho de ses paroles. Est-ce à dire que notre foi n'était pas concernée par cette étape d'avant le christianisme ? Nullement, car la foi est la motivation profonde de notre recherche : celui que nous confessons comme Christ et Seigneur est bien cet homme de Nazareth qui épuisa sa vie à proclamer la venue du Règne et à faire exister ce Règne là où « il passait en faisant le bien ». Disciples du Ressuscité, nous sommes les adeptes de ce Jésus-là et prétendons faire nôtre sa cause.

Poursuivant notre marche, empruntons maintenant l'itinéraire au long duquel les disciples ont converti leur regard et sont parvenus à la foi en la filiation divine de l'homme Jésus qu'ils avaient côtoyé sur les chemins de Palestine. Cette découverte ne rend pas insignifiant le précédent chemin. Sinon nous comprendrions mal pourquoi les premières communautés chrétiennes ont sans cesse fait mémoire de Jésus, cette mémoire se cristallisant dans des traditions devenues nos évangiles. Ceux-ci sont nos Écritures, le lieu où nous laissons Dieu se dire et où nous entendons la clameur de son Prophète.

Qu'avons-nous fait de lui, de son engagement radical pour Dieu et de son parti pris pour les hommes les plus démunis ? Comment les Églises se laissent-elles provoquer par lui et se montrent-elles solidaires de sa lutte contre toute institution aliénant l'homme, et faisant peser sur lui et sa conscience le poids d'une loi sans visage ? Ces questions ne sont pas réservées à la fin du livre. Là où nous sommes, elles se posent à nous dès maintenant.

La confession de foi n'efface pas les traits du prophète eschatologique de Dieu : elle affirme non seulement que ce Prophète est vivant en Dieu, mais aussi qu'il est notre salut : il est le chemin que nous devons suivre dans notre propre Galilée, pour faire entendre, dans le monde que nous construisons, son message devenu notre vie.

A la question de Jésus : « Qui dites-vous que je suis ? »,

les chrétiens ont de belles réponses tissées des mots de leur credo. Peut-être conviendrait-il alors d'entendre une autre question : « Comment dites-vous qui je suis ? Ce que vous lisez de moi dans vos livres (!) et confessez de vos lèvres, comment votre vie le proclame-t-elle ? »

DEUXIÈME PARTIE

L'ITINÉRAIRE DES DISCIPLES

I. Le cheminement de l'expérience pascale
II. Le déploiement de la foi pascale

Dieu a rompu le silence qui suivit le dernier cri de Jésus. Christ est aujourd'hui vivant à jamais ! La foi chrétienne prend sa source dans la résurrection de Jésus. Sans elle, elle est vide et illusoire (1 Co 15, 14-17). Comment exprimer un tel mystère qui dépasse l'entendement et ne peut, par conséquent, s'exprimer dans les mots de tous les jours ? Les richesses de la poésie et de la culture religieuse doivent s'allier pour permettre d'articuler un langage qui évoque une aussi radicale nouveauté. Dans le Nouveau Testament, les formulations les plus anciennes sont des confessions de foi qui se sont forgées au feu de la prière. La résurrection de Jésus s'est d'abord dite dans des acclamations et des cris avant de se mouler dans des récits et des discours missionnaires.

Quelle fut cette expérience ? Quelle fut cette lumière ? Comment a-t-elle irradié toute la vie des disciples, les transformant en croyants capables d'assumer l'échec de la croix ? Comment s'est-elle emparée de leur mémoire pour transformer l'image qu'ils avaient de l'existence de Jésus au point de leur faire percevoir qu'elle prenait sa source ailleurs, dans le cœur et l'éternité de Dieu ? Ces questions ont des réponses dans des textes extrêmement denses : les récits d'apparition qui se trouvent au terme des évangiles, et les résumés des prédications insérés par Luc dans les Actes des Apôtres. Ces documents sont le résultat d'années de méditation au long d'une vie communautaire et missionnaire commencée très petitement.

Quand de vieux époux, au moment de leurs noces d'or,

rassemblent leurs souvenirs avec des photos, des lettres, des dates inscrites sur un carnet usé, pour composer le petit discours du repas de famille, nous savons bien que les mots prononcés seront lourds de cinquante années de joies et de peines. Le temps aura peut-être déformé leurs souvenirs, modifié dans leur mémoire le déroulement des événements qu'ils évoqueront. Mais la vérité ne sera pas dans la fidélité aux détails ; elle sera dans ce qu'ils diront de leur amour et de leur route, et il serait grotesque de mesurer le poids de leurs paroles à leur exactitude anecdotique. Bien mieux, une certaine emphase servira davantage la vérité de ce qui fut un drame ou une joie forte, que la précision d'un rapport de police. Le compte rendu que le journaliste local aura pu faire de leur mariage, cinquante années auparavant, est peut-être matériellement plus exact, mais l'évocation de cette même journée par les vieux époux sera plus vraie, et d'une certaine façon plus historique : elle sera chargée du poids et de la vérité de leur histoire[1].

Ce que les disciples nous livrent de l'alliance définitive que Dieu a scellée avec les hommes, en Christ, par la résurrection, se présente en de brèves notices. Mais celles-ci cristallisent l'expérience d'une longue marche à travers la Bible, relue à la lumière de la première expérience chrétienne et du souvenir que les disciples ont gardé — et peut-être enjolivé — de leur route en compagnie de Jésus de Nazareth.

Les documents proclamant la foi pascale des disciples sont nombreux et divers : lettres, compositions évangéliques, discours missionnaires et, parsemées dans cet ensemble, des traces de formulations liturgiques, des citations scripturaires déjà regroupées pour les besoins de la catéchèse et de la mémorisation. Nous allons tenter de recueillir ces richesses en parcourant l'itinéraire pascal des disciples. Nous le ferons au moyen de deux approches complémentaires. L'une recherchera dans les textes ce qu'a pu être *l'expérience pascale des communautés ;* quelle fut la nouvelle naissance qui suivit la désespérance ; comment fut vécue l'avancée missionnaire grâce à laquelle la Parole du Ressuscité se répandit par toute la terre. L'autre se situera au niveau du *déploiement de la foi pascale.* Nous chercherons à parcourir le chemin qui mena les disciples à expliciter peu à peu la réalité de leur salut et la connaissance de celui de qui ils le recevaient : Jésus ressuscité.

---

1. Comparaison empruntée à E. CHARPENTIER, puis remaniée ; voir *Cahiers Évangile* 10, p. 8-9.

Une relation intime existe entre le développement de la foi et l'histoire des communautés. Ces réalités de la vie des premiers chrétiens sont présentées ici en deux sections séparées, afin d'éviter des rapprochements et des reconstitutions hypothétiques. En effet les textes dont nous disposons constituent essentiellement un message dont l'enracinement existentiel est rarement expliqué en clair, sauf, peut-être, dans les épîtres de Paul. Aussi a-t-il paru plus sûr de garder aux deux approches leurs perspectives propres. Cela dit, nous cheminerons sans timidité. La variété des textes doit être prise au sérieux car elle est la trace de communautés diverses, ayant vécu pendant des décennies dans des contextes différents qui leur ont donné une lecture particulière de Jésus et de sa Pâque. Mais nous n'hésiterons pas à situer ces ensembles dans une certaine cohérence. Cet effort est légitime, car ces « données » de la foi nous sont littéralement données, pour que nous les fassions nôtres, ce qui implique que nous nous les appropriions et les recueillions en nous avec une certaine logique. Le choix des textes répondra donc à certaines options, et toutes ne seront pas nécessairement conscientes. Il reste cependant qu'il existe actuellement en ce domaine nombre de résultats qui marquent dans la recherche biblique, certains points de non-retour. L'acquis de cette recherche est un bien d'Église et appartient aussi à la tradition vivante. L'appropriation de la foi, pour personnelle qu'elle doive être, n'est donc pas livrée à l'arbitraire[2].

2. Les résultats de l'exégèse sont accessibles. On trouvera en annexe quelques indications à ce sujet.

I

LE CHEMINEMENT DE L'EXPÉRIENCE PASCALE

Lorsque Moïse, chargé d'arracher son peuple à la servitude de Pharaon, demanda à Dieu son Nom, le Seigneur lui répondit : « Je suis qui je suis... Je serai avec toi. » Moïse désirait posséder le Nom de Dieu pour en disposer afin de réaliser la mission qui venait de lui être confiée (Ex 3). Dieu n'a pas livré son Nom, car on ne met pas la main sur lui. Il a fait mieux : il a promis sa présence. Et c'est au long d'une histoire que le peuple découvrit peu à peu le secret et le Nom de celui qui l'accompagnait. La véritable connaissance est donnée dans le partage d'une histoire commune.

Il en est de même pour l'expérience pascale. Elle s'inscrit dans l'histoire des disciples, et c'est au long de cette histoire que peut être découvert, peu à peu, le nom de Celui qui se trouve désormais au cœur de leur vie. L'expérience pascale ne se réduit pas à un instant. Son événement, surprenant et imprévisible, ne peut être ramené à un fait brut. Il rayonne de la vie qu'il a mise au monde. Il en est ainsi pour tout événement fondamental parce qu'il est fondateur. Si, reprenant le cas des époux fêtant leurs noces d'or, nous nous demandons quand eut lieu l'événement de leur rencontre, nous sommes bien obligés de constater qu'il n'est pas facile de déterminer le moment précis. Fut-ce lorsqu'ils se sont parlé de façon anodine pour un service à rendre ? Ou quand ils se sont retrouvés un jour pour partager un repas et parler de leur travail... ? Peut-on aussi facilement déceler l'instant de la rencontre ? Fut-ce le coup de foudre ou une lente maturation ? Dans l'ordre de la rencontre, on le voit, il n'est pas aisé de dire si un seul moment accapare toute la réalité de l'événement, et quel il est.

Que dire alors quand il s'agit de la rencontre du Ressuscité dont la vie nouvelle échappe aux lois de notre espace et de notre temps, au point que la notion même de rencontre est encore trop précise, nous le dirons plus loin ? Il convient donc d'aborder les textes du Nouveau Testament sur Pâques non comme la relation de faits rapportés par un journaliste d'aujourd'hui, mais comme des récits exprimant une expérience indicible dont les écrivains bibliques veulent nous livrer les données essentielles.

Notre premier travail consistera à nous familiariser avec la langue des témoignages. Pâques accomplit une espérance ; la compréhension du message pascal exige que nous nous fassions l'oreille à la voix de cette espérance. Puis nous recueillerons les données majeures de l'expérience, telle qu'elle a été transcrite par la mémoire des communautés dans les récits d'apparition. A l'écoute des témoins qui disent « avoir vu le Seigneur », nous suivrons enfin le chemin où l'Esprit les a introduits : dans un climat de Pentecôte, ils ont vécu la Pâques de leur Seigneur, faisant en même temps l'apprentissage du silence de Dieu dans le monde.

5

DES MOTS POUR DIRE PÂQUES

Pâques a comblé l'attente des disciples. En Jésus ressuscité, ils ont rencontré le Messie qui accomplissait l'espérance de leur peuple. Le langage de cette espérance est devenu le langage de leur foi. A l'écoute de l'attente juive, voyons comment est née la foi en la résurrection des morts et en quel langage elle s'exprima. Écoutons aussi le témoignage de Paul : de tous les auteurs du Nouveau Testament il est le seul à donner un témoignage immédiat de la rencontre du Ressuscité.

L'espérance de la résurrection des morts

A l'époque de Jésus, tous les Juifs ne croyaient pas à la résurrection des morts ; ainsi les sadducéens, qui étaient pourtant reconnus officiellement comme les chefs du peuple. Il était donc possible de croire en Dieu sans admettre une résurrection. Israël vécut ainsi pendant des siècles. Il faut insister sur ce point, car il permet de comprendre qu'il n'est pas nécessaire d'attendre la mort pour rencontrer Dieu. Par la foi, Dieu s'offre à nous maintenant. Si, parfois, nous doutons que la foi puisse nous faire dès ici-bas vivre de Dieu, pensons que jusqu'au IVe s. avant notre ère (au plus tôt), le peuple juif n'a pas connu d'autres perspectives pour la rencontre avec Dieu que celles, limitées, d'une courte vie humaine. C'est de cet état de la foi qu'il convient de partir pour comprendre comment est née l'espérance croyante en un au-delà de la mort.

Quand on s'informe sur cette naissance, on est frappé par son caractère « théocentrique » : c'est Dieu qui se trouve au centre du débat[3]. Spontanément nous penserions sans doute : la croyance en une résurrection vient de ce que l'homme ne veut pas mourir. Si elle n'avait que ce seul fondement, la foi en la résurrection des morts pourrait, à juste titre, encourir les critiques de nos « maîtres du soupçon » qui reprochent aux croyants d'inventer la résurrection pour échapper à leur condi-

3. Voir E.H. SCHILLEBEECKX, *Lumière et Vie,* n° 134, p. 32.

tion mortelle. Il est bien vrai que pour beaucoup la foi en la résurrection des morts est une aide pour supporter le caractère précaire d'une existence souvent douloureuse.

L'apparition de la foi en la résurrection des morts, dans l'Ancien Testament, nous situe dans un autre climat : elle répond à plusieurs motifs. Le premier usage du thème est lié à l'Alliance que Dieu a contractée avec son peuple. Dieu s'est engagé de façon définitive à l'égard d'Israël : si le peuple meurt, Dieu se doit de le rappeler à la vie pour que son alliance puisse se perpétuer. L'histoire du peuple confirme cette foi, car il a paru souvent mourir, mais Dieu, au-delà des destructions, des exterminations et des déportations, l'a créé à nouveau. Au retour de l'Exil, au Vᵉ siècle, la restauration fut véritablement vécue comme une « création nouvelle ».

Le croyant vivait en relation avec Dieu parce qu'il vivait au sein du peuple de l'alliance. Quand il mourait, il quittait non seulement son peuple, il quittait aussi Dieu. Lorsque la valeur de la conscience individuelle se développa, au retour de l'Exil (cette émergence apparaît dans les textes avec Ezéchiel), cette séparation du croyant d'avec son Dieu, par la mort, devint incompréhensible. Si l'on avait vécu personnellement de l'Alliance de Dieu, comment admettre que cette union à Dieu pût avoir une fin ? Chez les justes, notamment — pensons à Job — une telle perspective ne pouvait plus être supportée. Spontanément quand nous évoquons notre mort, nous disons : quand je meurs, je me perds, je quitte tout, je romps tous mes liens, je m'anéantis. Un israélite pensait : quand je meurs, je perds Dieu. On lit, au livre d'Isaïe, qu'au moment de mourir le roi Ezéchias se lamentait en disant : « Je ne verrai plus le Seigneur sur la terre des vivants, plus un visage d'homme parmi les habitants du monde... Le Seigneur est auprès d'eux ; ils vivront » (Is 38, 11, 16). Pour l'israélite pieux, la mort n'est pas absurde du fait de l'homme mais à cause de Dieu. Si Dieu est fidèle à l'Alliance, il se doit d'ouvrir aux justes et aux saints la possibilité de rester avec lui à jamais.

Un autre motif favorisa l'approfondissement de cette foi : la persécution. Quand le roi Antiochus Epiphane voulut helléniser Israël et éliminer la foi au Dieu d'Israël, un mouvement de résistance se leva en Palestine. Il y eut des martyrs par fidélité à la foi. C'est dans ce contexte que s'ancra chez beaucoup la conviction que Dieu rappellerait à la vie ceux qui avaient préféré mourir plutôt que de profaner son Nom : l'attachement qu'ils avaient témoigné à Dieu serait plus fort que leur mort. Derrière ce schème se trouve aussi une certaine idée de la justice : pour Dieu, la mort des justes ne peut pas être la même que celle des tortionnaires ; ils ne peuvent être confondus dans la mort.

C'est donc une foi très vive en la réalité actuelle de l'union à Dieu qui conduit à affirmer la résurrection des morts. Elle n'est pas une foi en un bien qu'on ne possède pas encore, mais l'affirmation qu'un bien qu'on possède — l'union à Dieu — ne peut pas être perdu. (Nous pourrions nous poser ici, en marge de notre recherche, la question suivante : notre foi et notre espérance en la résurrection des morts s'enracinent-elles dans une expérience spirituelle présente qui nous fait dire : « Ce que je vis avec Dieu est trop beau, pour que ça meure... » ?)

Comment dire cet au-delà de la mort ?

Résurrection et exaltation

A l'époque de Jésus, il n'y a pas une représentation unique de l'au-delà de la vie, mais il est possible de repérer certaines convergences. Relevons en premier lieu la dimension collective de la résurrection qui, selon certains ne concerne que les justes, selon d'autres tous les hommes, les uns destinés à la vie, les autres au châtiment. A la fin du monde, Dieu se manifestera pour le Jugement par la résurrection des morts. Les évangiles présentent dans les discours dits « apocalyptiques » des scénarios de cette fin des temps. Il est parfois question aussi de la transformation de ceux qui seront justifiés : ils seront comme des anges dans le ciel, revêtus d'habits nouveaux (cf. 1 Co 15, 51-52 ; Mt. 22, 30 ; Ga 3, 27 ; Col 3, 10).

D'une façon générale, l'au-delà de la mort est exprimé à l'aide de deux langages complémentaires, sans parler de celui qui évoque l'immortalité de l'âme. Mais restons ici dans l'univers biblique où il est question de l'au-delà de l'homme considéré comme un tout. Il est important de présenter ces deux schémas, car ils sont largement utilisés par le Nouveau Testament.

Il y a *le schéma résurrection* (du type avant/après). Etymologiquement ce mot signifie surgir à nouveau. Ce schéma comporte trois temps : il y a la vie, la mort, puis à nouveau la vie. Son intérêt est de souligner l'identité entre celui qui meurt et celui qui revient à la vie. En revanche il a l'inconvénient d'assimiler trop facilement, au niveau des représentations, l'accès à la vie nouvelle à une réanimation, comme ce fut le cas de Lazare qui mourut deux fois car la vie à laquelle il fut rappelé était identique à celle qu'il venait de quitter. Au dernier jour, les morts ne ressuscitent pas à leur vie ancienne : ils accèdent à une vie nouvelle.

A l'intérieur de ce schéma figure le thème de la reconnaissance. Quelqu'un qui a vécu, qui est mort et qui revit, doit pouvoir être reconnu lors de la résurrection générale. Dans les récits évangéliques de Pâques, la mention des cicatrices de Jésus a pour rôle de souligner que le Ressuscité est celui qui a été crucifié. Les artistes du Moyen Age ne procédaient pas autrement en sculptant les statues aux porches des cathédrales : nous nommons les saints en repérant un signe qui rappelle la façon dont ils sont morts : un gril pour saint Laurent, des flèches pour saint Sébastien. Tel sera le sens de la mention de la trace des clous dans les récits d'apparition du Christ.

La résurrection n'est pas une réanimation, elle est l'entrée dans une vie radicalement nouvelle. Cet aspect est mis en valeur dans le deuxième schéma représentatif, le schéma de l'*exaltation,* (du type en bas/en haut). Il est utilisé par Jean et par Luc lorsqu'ils parlent de la « montée » de Jésus vers le Père, ou de son « élévation » ; les récits de l'Ascension en font également usage. On marque ainsi que la vie du Ressuscité est une vie transformée, fruit d'un passage de ce monde-ci au monde d'en-haut (cf. Col 3, 1-3). Dans l'hymne de l'épître aux Philippiens, l'ensemble du mystère de Jésus est présenté selon ce schéma (2, 5-11). Son intérêt est de mettre en avant le cœur de la foi : ressusciter, c'est accéder à une vie « cachée en Dieu », radicalement nouvelle. Il permet de dire, non seulement l'au-delà, mais aussi le changement de vie que l'Esprit peut opérer en nous dès maintenant. Ses limites tiennent au fait qu'il masque quelque peu la continuité avec la vie présente. Il risque surtout, avec l'appoint de la croyance philosophique en l'immortalité de l'âme, de laisser dans l'ombre la relation qui existe entre la vie nouvelle et la façon dont on a vécu dans ce monde. Il ne s'agit pas en effet d'une évasion, mais d'une transformation, d'une métamorphose.

Les deux types de représentations se complètent, pour désigner de façon symbolique une réalité qui échappe à notre expérience et ne peut être dite qu'en images. Ce qui est vrai pour exprimer l'espérance d'un peuple, l'est aussi pour dire cette expérience exceptionnelle qui saisit un être totalement. C'est ce qui est arrivé aux premiers témoins de Pâques. Approchons les langages où l'indicible tente de se dire.

Rencontre et intériorité

Il est difficile de relater une expérience marquante. Quand nous sommes atteints en profondeur, nous commençons par balbutier : un cri, des mots sans suite viennent aux lèvres. Parfois, mieux que le mot, le geste exprimera l'émotion. Lorsque les phrases commenceront à se former, les expressions symboliques seront nombreuses. Pour tenter de dire l'intensité vécue, les mots doivent porter une certaine charge affective : c'est le cas des symboles.

Pourtant, si l'expérience est plus large que les mots qui n'épuiseront jamais dans des phrases ce qui est vécu, elle aura besoin des mots pour se dire. Il pourra arriver qu'en s'exprimant dans un langage, l'expérience prenne une autre dimension : en tentant de dire son amour, celui qui aime s'engage dans les paroles qu'il prononce ; la réalité qu'il vit prend une forme nouvelle dans le fait même de la dire, et ce dire peut être la source d'une expérience nouvelle, vécue à un autre niveau. En d'autres termes, une expérience humaine ne livre sa signification qu'en se déployant peu à peu dans le langage et dans le temps. Ce que portait en elle l'expérience de la rencontre de deux êtres qui se sont découverts et se sont aimés, est finalement mis à jour à travers ce que cet amour permet de faire exister, au long du chemin qu'il ouvre et grâce à toutes les paroles et aux gestes qu'il suscite. D'une certaine façon, l'expérience initiale n'est saisie véritablement que dans la mémoire qui en est faite, et elle ne pourra jamais être décrite sans mettre en œuvre le langage de cette mémoire chargée de toutes les expériences que la première a suscitées.

S'il en est ainsi pour des réalités humaines, que dire du langage qui essaie d'exprimer une expérience qui, par certains aspects, n'a pas sa source au cœur de l'homme, car c'est bien de cela qu'il s'agit dans la rencontre du Ressuscité ? Le terme même de « rencontre » est impropre. Pour viser le mystère du Christ, nous avons fait appel au double langage de l'exaltation et de la résurrection. Dans le cas de l'expérience pascale des disciples, les évangélistes se sont trouvés une fois encore devant une situation extrême. Il leur fallait à la fois exprimer l'expérience unique et originale des disciples naissant à une vie nouvelle, et suggérer que le Ressuscité rencontré n'était plus soumis aux conditions de notre univers. Pour résoudre cette double difficulté, ils ont utilisé, ici encore, un double langage : celui de la rencontre pour désigner la relation nouvelle qui s'est établie avec Jésus maintenant ressuscité et exalté, celui de l'intériorité pour ne pas réduire cette rencontre à un phénomène extérieur.

Un dernier aspect des réalités à exprimer a, lui aussi, façonné le langage : l'expérience pascale est de l'ordre de la foi. C'est au long d'un cheminement dans la foi que cette expérience peu à peu dégage sa signification, comme c'est au long d'une existence humaine que certaines expériences originelles manifestent leurs richesses. Seul un langage religieux pourra rendre compte de ce qui a sa source dans l'action toute-puissante de Dieu.

L'ensemble de ces observations aide à percevoir pourquoi les récits d'apparition ressemblent à un tissu extrêmement dense où se croisent le langage de l'espérance accomplie en Jésus Christ, celui de l'expérience de la foi recueillie en sa naissance et en ses développements ultérieurs (dans le cas des disciples, il s'agit essentiellement des péripéties de leur prédication missionnaire). Un exemple nous fera comprendre ces imbrications : la façon dont Paul évoque, dans ses lettres, sa rencontre avec le Christ vivant.

Le témoignage de Paul

Dans les Actes des Apôtres, Luc a présenté à trois reprises la conversion de Paul (Ac 9 ; 22 ; 26). Le plus souvent nous avons gardé de cet épisode des images extraordinaires représentant le persécuteur terrassé sur le chemin de Damas. Si nous nous tournons vers les brèves évocations que Paul lui-même donne de sa vocation, nous retirons une tout autre impression. Voici avec quels mots il fait mémoire de cet événement.

En 1 Co 9, 1, afin de fonder son droit de prêcher, il questionne son lecteur : « N'ai-je pas vu Jésus, Notre Seigneur ? » *En 1 Co 15, 8,* il situe son expérience sur le même registre que celle des Apôtres qui, eux aussi, ont vu le Seigneur, et il écrit : « Il m'est apparu à moi aussi », puis il évoque comment de persécuteur, d'homme qui donne la mort, il est devenu prédicateur de l'Évangile, homme qui donne la vie (1 Co 15, 8-11). La conversion a donc inscrit le mystère pascal de Jésus au cœur de l'existence de Paul ; la grâce qui l'a transfiguré transforme à présent ceux qu'atteint sa parole. *Dans l'épître aux Galates 1, 15-17,* reprenant le vocabulaire des vocations prophétiques dans l'Ancien Testament (Is 49, 1-6 ; Jr 1, 5) et celui de l'apocalyptique juive, il évoque ainsi la révélation de Dieu à la fin des temps :

> Lorsque Celui qui m'a mis à part dès le sein de ma mère et *m'a appelé par sa grâce,* a jugé bon de *révéler en moi son Fils,* afin que je l'annonce parmi les païens, aussitôt, sans recourir à un conseil humain, je partis pour l'Arabie...

De même, *en Ph 3, 4-14,* parlant de son retournement, il évoque sa vie nouvelle comme une « connaissance de Jésus Christ mon Seigneur ». Entendons, en donnant au terme de connaissance le sens fort qu'il a souvent dans la Bible, que la conversion a conduit Paul à une relation intime avec le Christ qui l'a « atteint », « saisi » (Ph 3, 12).

Ces extraits montrent que pour évoquer sa rencontre avec le Ressuscité, Paul utilise le langage de l'extériorité (apparition, vision, appel) et celui de l'intériorité (connaissance, révélation intime) : les catégories du visible et de l'invisible se conjuguent pour dire l'indicible. Parler uniquement de transformation intérieure serait insuffisant et laisserait dans l'ombre l'intervention toute-puissante de Dieu. Parler uniquement d'une rencontre, située ponctuellement un certain jour, serait également insuffisant, car il est question d'une révélation qui s'opère en Paul : la révélation du Fils qu'il va maintenant annoncer aux païens. On aura noté aussi comment la présentation de cette expérience est riche de ce qu'elle produit : la mission de Paul. Il y a comme une interférence de la manifestation et de la mission. Dans son activité de prédicateur du Christ, Paul découvre la richesse de la grâce qui lui a été faite et l'a transformé ; il mesure à ses fruits la puissance de vie qu'il a reçue. Dans cette expérience, il se reconnaît « mis à part » pour une mission. Découvrant le Seigneur de la fin des temps qui se révèle à lui, il voit s'ouvrir son propre chemin de prédicateur de la bonne nouvelle qui l'illumine.

Ce témoignage aide à percevoir comment toutes les ressources d'un langage sont mises en œuvre (rappels de grands textes de l'Ancien Testament, jeu de l'intériorité et de l'extériorité, mémoire du don reçu dans les fruits qu'il a produits) pour suggérer, au-delà de l'anecdote, un événement d'une profondeur qui échappe à ce que sont nos événements purement humains.

Il est frappant de constater que dans un tout autre contexte, Jean fait jouer de semblables registres pour évoquer la transformation des disciples quand ils « verront le Seigneur ». Voici ce qu'il fait déclarer à Jésus, annonçant son retour parmi les siens :

> Encore un peu et le monde ne me verra plus ; vous, vous me *verrez* vivant, *et vous vivrez* vous aussi. En ce jour-là, *vous connaîtrez* que je suis en mon Père et que *vous êtes en moi* et *moi en vous* (Jn 14, 19-20).

Faisant suite à des termes semblables à ceux de Paul, les expressions de Jean évoquent la rencontre avec le Ressuscité comme une révélation intérieure du Fils donnant accès à la demeure du Père et du Fils (cf. Jn 14, 23).

Les textes que nous avons lus nous apprivoisent peu à peu aux récits particuliers qui rendent compte de l'expérience pascale ; ils en livrent quelques données. Le témoignage de Paul, prolongé par les réflexions de Jean, fait percevoir que les mots employés non seulement évoquent un événement du passé, mais tentent aussi de rejoindre le lecteur dans sa propre expérience.

Abordons maintenant les récits d'apparition pour mieux cerner l'expérience pascale où « resplendit la connaissance de la gloire de Dieu qui rayonne sur le visage du Christ » (2 Co 4, 6).

6

« NOUS AVONS VU LE SEIGNEUR »

Les récits d'apparition ne sont pas les seuls textes qui annoncent la résurrection de Jésus. Nous avons déjà fait mention des prédications missionnaires et de certaines professions de foi. Le texte le plus ancien qui fut gardé est un *Credo.* Paul le cite dans la première épître aux Corinthiens. Il l'a peut être reçu dans son Église, à Antioche, vers l'an 40 :

> Je vous rappelle, frères, l'Évangile que je vous ai annoncé, que vous avez reçu, auquel vous restez attachés, et par lequel vous serez sauvés si vous le retenez tel que je vous l'ai annoncé ; autrement, vous auriez cru en vain. Je vous ai transmis en premier lieu ce que j'avais reçu moi-même :
>
> Christ est mort pour nos péchés, selon les Écritures.
> Il a été enseveli,
> Il est ressuscité le troisième jour selon les Écritures.
> Il est apparu à Céphas, puis aux Douze.
>
> Ensuite, il est apparu à plus de cinq cents frères à la fois ; la plupart sont encore vivants et quelques-uns sont morts. Ensuite, il est apparu à Jacques, puis à tous les Apôtres. En tout dernier lieu, il m'est aussi apparu, à moi l'avorton (1 Co 15, 1-8).

Ce passage commence à élargir nos perspectives. Paul se met sur le même pied que les Apôtres, parce qu'il a vu le Seigneur. A ce titre, il a le même droit de prêcher. Dans le Nouveau Testament, tous ne partagent pas son point de vue. Ainsi de Luc, qui ne le place pas au même rang que les Douze. Mais il est intéressant de relever, pour notre propos, que selon Paul, l'expérience pascale ne concerne pas seulement les tout premiers témoins : elle doit s'entendre en un sens très large, et couvre une longue période. Remarquons également que Paul fait état, à la suite du Credo cité, de nombreuses apparitions, dont certaines ne figurent pas dans les évangiles : Jacques, les cinq cents frères. Cette dernière manifestation suppose qu'un certain laps de temps s'est écoulé, puisqu'il s'agit d'une assemblée déjà nombreuse.

Ces notations nous invitent à ne pas donner une valeur chronologique à l'indication de Luc qui limite à quarante jours la période des apparitions (Ac 1, 3). Bien souvent nous nous représentons les origines de façon très ramassée, en accordant aux chiffres une valeur matérielle, alors qu'ils ont une portée symbolique. Nous aurons l'occasion de revenir sur ce point à propos de l'Ascension, et nous avons déjà rencontré un cas analogue au sujet du « troisième jour », jour de la Résurrection des morts. Nos représentations habituelles doivent donc s'assouplir, si nous désirons entendre toutes les harmoniques des récits évangéliques de Pâques, et saisir ce que chaque auteur nous fait percevoir du mystère.

La diversité des récits

Les récits évangéliques sont très sobres en ce qui concerne les manifestations du Ressuscité. Matthieu présente deux apparitions et, à le lire, on pourrait croire qu'elles sont situées le même jour. Marc n'en connaît pas, dans la version authentique de son évangile. Luc propose deux récits, Jean trois. On est donc en droit de supposer que les évangélistes ont condensé dans leurs récits un ensemble de manifestations du Ressuscité.

Les récits sont de diverses sortes. Certains proposent une expérience collective qui concerne le groupe des Onze, ceux qui ont autorité pour prêcher la Parole. D'autres, à caractère plus personnel, renferment des détails susceptibles de rejoindre les chrétiens dans leur foi vivante. Ainsi du récit des disciples d'Emmaüs où chacun peut se reconnaître, dans sa marche obscure vers Dieu, écoutant la Parole en Église, partageant le pain. Ainsi de l'apparition à Marie Magdeleine, dans laquelle tout baptisé peut s'entendre nommé par le Seigneur. Les lieux aussi varient : chez Marc et Matthieu, le Christ se manifeste en Galilée ; chez Luc et Jean, à Jérusalem. Nous retrouvons ici des caractéristiques des évangélistes. La Galilée est le lieu de la prédication de Jésus, elle est aussi la figure des nations à convertir. Jérusalem est la ville du Temple de Dieu, où commence l'évangile de Luc et où la Parole portée par les Apôtres prend son départ (Ac 1, 8).

Ces divergences montrent que les récits doivent être replacés dans la perspective propre à chaque évangéliste. Pour *Marc,* dans la version authentique de son évangile — les éditions modernes du Nouveau Testament signalent que la « finale de Marc » (16, 9-20) ne fait pas corps avec le reste de l'œuvre — il n'y a pas d'apparition de Jésus, mais seulement une parole d'envoi en mission, comme si le Ressuscité devait être reconnu dans l'acte même de l'annoncer, sans qu'il y ait d'autre trace de sa résurrection que son surgissement dans la prédication des disciples. Chez *Matthieu,* le Christ apparaît comme un être glorieux, figure du Fils de l'homme, exalté auprès de Dieu, annonçant sa présence parmi les siens jusqu'à la fin des temps. A la limite, chez Matthieu l'apparition du Ressuscité est contemporaine de chaque instant de l'histoire : « Je suis avec vous tous les jours jusqu'à la fin des temps. » En fonction du propos qu'il a de présenter le temps de Jésus et le temps de l'Église, *Luc* a deux approches du mystère pascal. A la fin de son évangile, il mentionne deux apparitions, celle aux disciples d'Emmaüs et celle au groupe des Onze, fondateurs de l'Église. Dans les Actes des Apôtres, le départ de l'Église est donné avec l'envoi de l'Esprit Saint. Cela met en évidence un contraste entre la présentation de Matthieu et celle de Luc. Chez Luc, l'accent est mis sur l'absence du Ressuscité et sur la nécessité de son départ pour accueillir l'Esprit. Chez Matthieu, la présence est donnée à jamais. Derrière ces deux points de vue, apparaît, en filigrane, une expérience différente. *Jean,* quant à lui, regroupe en une seule journée ce que Luc étale sur cinquante jours : ressuscité, le Christ remonte vers son Père et, « le soir de ce même jour », il se manifeste aux siens pour les envoyer munis du don de l'Esprit. Ceci élargit une fois encore notre représentation du mystère pascal. La résurrection au troisième jour, l'ascension au quarantième jour et la Pentecôte au cinquantième jour sont des aspects du même mystère, et non des événements successifs survenus au long du printemps de l'an 30. En situant les trois aspects le même jour, Jean insiste sur l'unité du mystère : l'envoi en mission forme un tout avec la résurrection. En les séparant dans les Actes des Apôtres (1 et 2), Luc souligne l'originalité de la mission de l'Église et sa distinction d'avec la mission du Christ.

Nous voici donc contraints, de par la réalité incontournable des divergences entre les textes, d'aborder les récits comme des témoignages qui concernent à la fois la rencontre du Ressuscité et une certaine expérience d'Église. Peut-on, malgré leurs différences, dégager de ces récits des points communs, indiquant les caractéristiques fondamentales de l'expérience pascale ? Tout en étant attentifs aux particularités de chaque texte, la plupart des biblistes et des théologiens le pensent. Relevons, après eux, ces données essentielles.

Les données essentielles de l'expérience

Quatre traits fondamentaux se dégagent des récits de la manifestation du Christ ressuscité. Cette manifestation est due à l'*initiative de Dieu ou du Ressuscité.* Elle comporte une *reconnaissance de Jésus,* un *accès à la foi* et un *envoi en mission.* Ces traits sont diversement explicités ou exploités selon les récits, mais ceux-ci supposent, tous, ces quatre données.

L'expérience pascale est due à l'initiative de Dieu. Elle n'est pas le fruit de la réflexion projective des disciples. C'est une réalité présentée comme s'imposant à eux, et dont l'origine est située en Dieu ou dans le Ressuscité. C'est lui qui « vient vers eux », qui « se tient au milieu d'eux » (Jn 14, 18 ; cf. 1 Co 14, 25). On dira fréquemment de Jésus ressuscité : « il s'est fait voir », expression qu'il est possible de rendre par « Dieu l'a fait voir », car, dans le langage juif, la forme passive est fréquemment utilisée pour parler de Dieu dont le nom ne peut être prononcé. Ainsi Paul dira que le Christ a voulu se faire voir de lui ; en Jean et en Marc, le messager de Dieu promet : « vous verrez » ; et les disciples s'exclameront : « Nous avons vu le Seigneur. » L'usage fréquent de ce verbe voir, utilisé même quand Jésus n'est pas vu ! — sur la route de Damas Paul vit... une grande lumière (Ac 26, 13) — fait soupçonner que nous sommes en présence d'un verbe technique. De fait, ce vocabulaire est, dans l'Ancien Testament, celui de la manifestation de Dieu : quand le Dieu invisible se manifeste, on dit qu'il se fait voir. Mais, pour qu'on ne se trompe pas sur l'expression — qui, en réalité, pourrait vraiment voir Dieu ? — les textes atténuent ou complètent l'image. Moïse voit Dieu... mais de dos. Paul voit le Ressuscité, selon les Actes,... en entendant sa voix ; les disciples d'Emmaüs voient Jésus mais sans le reconnaître sur la route ; et, lors de l'apparition au bord du lac, c'est avec son cœur mieux qu'avec ses yeux que le disciple bien-aimé reconnaît son Maître. En utilisant le verbe *voir*, les auteurs chrétiens soulignent donc que la rencontre du Ressuscité est, pour les disciples, une théophanie, c'est-à-dire une expérience du divin, de ce qui est caché de Dieu et en Dieu, de ce qui ne doit se manifester qu'à la fin des temps : Pâques est en effet l'irruption en Jésus du Règne de Dieu promis pour la fin des temps ; à Pâques est inauguré le monde nouveau promis au peuple de Dieu. Les manifestations du Ressuscité sont pour les disciples l'expérience de cette venue dans leur vie. Ce n'est pas seulement pour eux une révélation extérieure, mais une révélation intérieure, une expérience du divin qui les prend tout entiers. Nous sommes proches ici du témoignage de Paul.

Ce serait donc amoindrir la force des textes que d'interpréter les apparitions en termes de vision physique. Cela ne veut pas dire que l'expérience n'a eu aucun aspect sensible. L'anthropologie sémitique considère l'homme comme un tout, et les textes soulignent que le Ressuscité est bien un homme vivant, Jésus, qui a un corps : « corps spirituel » certes, car Jésus n'est plus lié par les lois de notre monde de chair et de sang, il est du monde de Dieu ; mais il a un corps, ce n'est pas un fantôme. Ceci met en évidence un aspect de l'expérience : désormais, dans sa condition nouvelle, le Christ communique librement avec les siens, rien ne peut l'en séparer. Matthieu a fortement marqué ce trait : celui qui est auprès de Dieu, au ciel, est avec les siens « chaque jour ». Jean et Luc rapportent que Jésus se tient en présence des siens alors que les portes sont fermées. C'est une façon de dire que le Christ échappe aux conditions de l'espace. Plus profondément, les évangélistes suggèrent que rien ne peut s'opposer à cette présence : la crainte qui enferme le groupe des disciples derrière des portes verrouillées est vraiment vaincue par le Ressuscité. Il n'est pas dit qu'il franchit les murs, tel un héros de bandes dessinées. Non, tout simplement : « Il se tenait au milieu d'eux » (Jn 20, 19). La manifestation est l'expérience vécue d'une présence cachée à travers laquelle le Ressuscité communique librement avec les siens.

Un autre élément important de l'expérience (bien qu'il soit absent chez Matthieu) est *la reconnaissance de Jésus.* Ce thème, nous l'avons vu, appartient au schéma qui insiste sur l'identité du sujet avant et après sa mort. Celui qui revient à la vie est celui-là même qui est mort, il est possible de le reconnaître, de l'identifier à certains signes. La mention des plaies, dans les récits, a pour fonction d'annoncer que celui qui a été exalté est le Crucifié : le Seigneur est bien ce prophète de Nazareth rejeté et crucifié. Les textes, en insistant sur cet aspect, ne nous livrent pas une information sur ce que les disciples auraient pu voir de leurs yeux. Ils reprennent l'un des grands thèmes de la prédication missionnaire : la résurrection est la réhabilitation du Crucifié et l'authentification de sa vie par Dieu.

Le troisième donné essentiel des récits, proche du précédent, est *la mention de la foi,* ou mieux : de la naissance de la foi. La lecture des textes montre une progression qui suggère que la reconnaissance s'est effectuée au long d'un processus, qu'il s'agisse d'une prise de conscience progressive, ou de l'élucidation ultérieure d'un événement saisissant dont on ne perçoit pas tout de suite la richesse. Nous reviendrons plus loin sur cet aspect en nous interrogeant sur le substrat historique de ces apparitions. Quoi qu'il en soit, un fait est certain : la reconnaissance du Ressuscité est le fruit d'*une vue de foi,* elle est présentée comme une naissance à la foi qui vainc la crainte (« toutes portes verrouillées par crainte de Juifs ») et le doute (« certains doutèrent », « ils ne croyaient pas encore »). Nous retrouvons bien dans ces sections narratives le jeu des images, au premier abord contraires, qui se complètent afin d'éviter les interprétations naïves. C'est une vision. Mais commment voir l'invisible ? Cette vision est aussi révélation intérieure, mais c'est le fruit de l'initiative d'un autre, du Ressuscité qui se fait voir sans s'imposer ! La reconnaissance n'est accessible qu'à la foi. Le récit des disciples d'Emmaüs montre que l'on peut voir sans reconnaître, puis reconnaître l'Hôte inconnu alors qu'il a disparu. Peut voir, en définitive, celui qui est né à la foi.

Le message des récits d'apparition comporte encore *un envoi en mission* ; c'est le quatrième élément fondamental. L'expérience pascale est liée à la conviction que ce qui est vécu est fait pour être partagé. Autrement dit, les disciples expérimentent que la Parole qui avait été mise au tombeau a surgi en eux. Le prophète n'est pas resté prisonnier de la mort, voici qu'à nouveau il se met à parler par la bouche de ses disciples. La mission qu'ils vivent, les disciples ne l'attribuent pas à leur propre initiative, mais à celle de Jésus après sa mort ; elle est pour eux le signe qu'il est vivant. Le Ressuscité les envoie. Sa Parole est vivante dans le groupe des disciples parce que, Vivant, il les accompagne (Matthieu), ou leur donne de son Esprit qui est source de cette Parole (Jean, Luc). Marc a une finale très intéressante, à cet égard, et nous l'avons déjà évoquée. Le matin de Pâques, les femmes se rendent au tombeau, entendent le message de la résurrection avec l'envoi à Pierre et aux disciples : « Il vous précède en Galilée ; c'est là que vous le verrez, comme il vous l'a dit. » Et l'évangéliste poursuit : « Elles sortirent et s'enfuirent loin du tombeau, car elles étaient toutes tremblantes et bouleversées ; et elles ne dirent rien à personne, car elles avaient peur. » (Mc 16, 1-8). Les femmes durent bien parler puisque Pierre et les disciples ont reçu le message, puisque l'évangile de Marc a pu être écrit ! N'est-ce pas suggérer alors que c'est dans l'annonce même du message que les témoins ont compris la grande nouvelle et sont nés à la foi... ?

Qu'il s'agisse des données de Paul ou de Jean, des récits

d'apparition aux Onze, à quelques femmes ou disciples, de l'épisode chaleureux de la route d'Emmaüs, du Fils de l'homme en gloire de la finale de Matthieu ou du silence énigmatique des femmes recueillant, effrayées, le message de Pâques, toutes les mentions de l'expérience pascale évoquent non seulement une rencontre extraordinaire et bouleversante, mais encore un cheminement des disciples, une foi en train de naître. Ce serait réduire et appauvrir indûment les textes que d'en proposer une interprétation anecdotique. Ils sont riches de l'expérience missionnaire des premiers chrétiens. Comme les époux que nous évoquions plus haut racontent leurs premières rencontres avec toute l'expérience de leur vie commune, les relations de l'expérience pascale sont lourdes de la vie mystique et missionnaire des communautés naissantes : partage d'une même vie réconciliée avec Dieu et entre frères, découverte de la gloire du Père sur le visage du Crucifié... Les textes sur les « apparitions » ne disent pas seulement les premières rencontres, ils ramassent en quelques récits synthétiques l'expérience pascale continue des communautés. Cette expérience a sa source dans le Ressuscité, se nourrit de sa présence et de sa Parole, maintenant qu'il a disparu.

Peut-on aller plus loin ? N'y a-t-il, dans ces passages évangéliques, qu'une expérience replacée en sa source ? Sont-ce seulement des textes catéchétiques, à la façon des « récits des tentations » présentant les options de Jésus ? Est-il possible de déceler — risquons le mot — une « trace historique » du surgissement du Ressuscité parmi les siens ?

A la recherche d'une trace historique

Une question ne peut manquer de se poser à nos esprits positivistes : que s'est-il réellement passé ? Les textes ne répondent pas directement à cette question ; ils nous entraînent dans l'épaisseur de l'expérience pascale. Mais notre question demeure : peut-on savoir ce que fut cette rencontre ? Le Ressuscité a-t-il agi seulement au secret des consciences, progressivement, ou y a-t-il eu un événement « objectif », un choc amenant la transformation des disciples ? De quoi sont-ils véritablement *témoins* (Ac 2, 32) ?

Une première réponse pourrait être recherchée dans *les récits du tombeau trouvé ouvert et vide.* Il semble bien, en effet, que l'analyse exégétique ne puisse totalement évacuer le caractère historique de ce donné : des femmes ont trouvé le tombeau vide, elles n'ont pas retrouvé le corps de Jésus. Mais les évangiles eux-mêmes, malgré les interprétations qu'ils donnent de ce fait, grâce au message des anges, invitent à ne pas majorer cet indice. L'argument de la disparition du corps n'est pas une preuve. Le tombeau peut être vide parce que le corps a été déplacé ; cela se faisait à l'époque. Jean n'ignore pas cette possibilité et Matthieu rapporte que les Juifs, sans mettre en doute le fait, lui donnent cette explication. Selon Marc, devant le tombeau ouvert, les femmes ne savent que penser : elles sont bouleversées. Au reste, dans la prédication missionnaire, l'argument du tombeau trouvé vide n'est jamais mis en avant, et Jean suggère, dans son évangile, qu'on ne doit pas chercher de preuve à la résurrection. Ce qui est « vu » de la résurrection, ne l'est pas à la manière du monde. C'est objet de foi : le Ressuscité se manifeste aux disciples, non au monde qui, lui, ne le verra plus (Jn 14, 19-22). Le fait que le tombeau est trouvé vide ne sera perçu comme un signe, qu'une fois recueillie la grande nouvelle de la résurrection. Ce n'est pas parmi les tombes et les morts qu'il convient de chercher celui qui est vivant (Lc 24, 5). Le tombeau trouvé vide n'est pas à l'origine de la foi pascale, il est perçu, *a posteriori,* comme un signe. Seule la foi établit un lien entre Pâques et la disparition du corps de Jésus. Pour le croyant, et pour lui seul, cette disparition peut être comprise, après coup, comme une trace de la résurrection.

Y a-t-il d'autres traces ? Avant d'aller plus loin, rappelons-nous que la résurrection du Christ est un Événement eschatologique. Elle est l'irruption, en Jésus glorifié, de la fin des temps, de « la plénitude du temps ». A cet égard ne confondons pas cet Événement avec un fait historique. L'événement est ce qui est imprévisible, ce qui survient et marque une rupture avec le cours habituel et attendu de l'existence. Comme manifestation de l'inattendu de Dieu dans le Christ et dans la vie des disciples, la résurrection peut être qualifiée d'événement. Mais cela ne permet pas pour autant de la ranger dans ce que nous qualifions habituellement de « fait historique ». Le fait est ce qui se situe dans le déroulement du temps et dans une chaîne de causes et d'effets. De droit, un fait est vérifiable par l'historien, il appartient de bout en bout à l'histoire. Le passage du Christ à son Père, son accession au monde nouveau n'est pas à strictement parler un fait historique : le Christ est entré dans ce qui n'est plus l'histoire, il échappe aux lois de notre monde ancien. Déjà, à propos des annonces de la résurrection par Jésus, nous avons rappelé que la mention du « troisième jour » devait être prise, non comme une indication chronologique, mais en un sens théologique : le troisième jour est le dernier jour, le jour de la résurrection des morts.

Le fait de ne pouvoir « enfermer » la résurrection du Christ dans notre histoire et dans notre temps est, au premier abord, déconcertant car cela porte atteinte à ce qui vit en nos imaginations, soutenues par des tableaux de maîtres (pensons au Greco !). A y réfléchir, cependant, il est fort heureux pour le croyant qu'il en soit ainsi. Si le Christ était ressuscité un jour donné, cet événement appartiendrait au passé. Le Christ est ressuscité, non pas le troisième jour, mais le « dernier jour », qui est aussi « le premier jour de la création nouvelle ». Sa résurrection englobe donc tous les temps, elle est contemporaine de tous les moments du temps et de l'histoire : « C'est aujourd'hui le jour du salut », écrit saint Paul.

La résurrection du Christ déborde l'histoire, mais elle nous rejoint dans notre histoire. Elle mérite le qualificatif d'historique (au sens strict) dans la mesure où elle suscite une histoire : celle des disciples, la nôtre. La trace historique de la résurrection est ce qu'elle suscite dans notre histoire. Le groupe des disciples de Jésus, les Églises, sont les traces historiques de la résurrection.

*

* *

Mais la question, tenace, revient : peut-on dire ce qui s'est passé ? Qu'y a-t-il de repérable historiquement ? Qu'en est-il de l'expérience pascale relatée dans les évangiles ? Peut-on remonter au-delà de ces exposés synthétiques, vers un donné ? Et si oui, quel fut-il ?

Les données historiques repérables sont l'histoire même de la naissance des communautés chrétiennes. Jésus ressuscité est rencontré dans un groupe « ressuscité ». Ce qui lui est advenu, dans sa Pâque, a été reconnu par une communauté qui avait fait, elle aussi, un chemin pascal et qui vivait la Pentecôte. C'est ce qu'il convient maintenant de préciser.

7

UNE EXPÉRIENCE DE PÂQUES ET DE PENTECÔTE

Quelle fut l'expérience des disciples, à laquelle nous renvoient récits et témoignages ? Pour l'approcher, nous suivrons, autant que faire se peut, une trace repérable historiquement : le regroupement des disciples. En nous laissant guider par les récits qui ont été présentés, nous dégagerons les caractéristiques essentielles de leur expérience pascale, vécue dans un climat de Pentecôte, c'est-à-dire au sein d'une communauté « ressuscitée », porteuse d'une Parole sortie du tombeau, et envoyée par l'Esprit Saint.

De la dispersion à la communauté croyante

Au moment de l'arrestation de Jésus, les disciples s'enfuient. Après sa mort, ils restent à Jérusalem, car le jour qui commence est un sabbat de fête. Le lendemain, probablement, des femmes se rendent au tombeau, et le trouvent vide. Elles ne comprennent pas, avertissent sans doute Pierre qui va voir, doute et rentre chez lui, à Capharnaüm (Lc 24, 12). Sur la route d'Emmaüs, deux disciples s'éloignent de la ville sainte, symboles de tous ceux qui avaient cru que Jésus portait les espérances d'Israël. Ceux qui avaient suivi le Nazaréen voyaient se terminer une grande aventure, la tristesse les accable. Jésus mort, le groupe n'a plus de raison d'être car il est privé de celui qui le rassemble. On se rappelle, en effet, le rôle très important que jouait le leader dans les groupes baptistes : l'appartenance au groupe se faisait par la relation à celui qui en était la tête.

Il n'y a plus rien à attendre, à espérer : les hommes de Galilée rentrent chez eux.

Et pourtant, que constatons-nous ? Au bout d'un certain temps, les disciples se trouvent à nouveau rassemblés. Eux, qui avaient fui par crainte des Juifs, se mettent à annoncer que Jésus est vivant. La Parole de celui qu'on avait mis au tombeau, se met à parler par leur bouche. Cela est historiquement vérifiable. L'histoire de Jésus ne s'est pas achevée un certain vendredi, elle a surgi à nouveau parmi ses disciples, qui se sont mis à porter son message devant ceux-là mêmes qu'ils avaient craints et qui avaient mis à mort leur maître : les grands-prêtres et le Sanhédrin. L'aventure du prophète de Galilée a resurgi avec une force nouvelle parmi les siens qui se mettent à l'annoncer jusqu'à Rome, cœur de l'Empire, capitale de toutes les Nations.

Comment expliquer un tel bouleversement que rien ne laissait attendre, à vues humaines ? Les disciples disent qu'il en est ainsi parce que Jésus est sorti vivant du séjour des morts. Ils expliquent leur résurrection par la sienne ; ils s'en disent les témoins.

Comment s'opère cette transformation des disciples ? S'agit-il d'un choc brutal ou d'une lente prise de conscience ? L'expression « prise de conscience » peut paraître ambiguë et minimisante. Dire que la foi en la résurrection est née d'une prise de conscience, ce n'est pas nécessairement affirmer qu'elle est le produit de l'imagination des disciples. En examinant les récits d'apparition, nous avons vu que la rencontre avec le Ressuscité est attribuée à l'initiative de Dieu et du Seigneur, non à celle des disciples. Cela exclut par conséquent, au dire des disciples, que la foi pascale soit née d'eux-mêmes. Un événement a eu lieu, quelque chose est intervenu, quelque chose, venu de Dieu, les a atteints.

Ce « quelque chose » qui les atteint, ce toucher de Dieu et du Christ ressuscité ne les rejoint pas seulement de l'extérieur : ils doivent y adhérer. Ils sont ainsi « suscités » intérieurement. L'étonnement fait place au doute, et le doute doit être vaincu par la foi. On peut donc raisonnablement affirmer, en suivant les témoignages et les récits, que l'expérience de la rencontre du Ressuscité n'exclut pas un certain processus, un approfondissement. Il s'est bien passé quelque chose, et ce quelque chose n'est pas seulement de l'ordre de la révélation intérieure, car l'homme est un tout. Les disciples ont été atteints dans tout leur être, et il n'y a aucune raison d'exclure que ce quelque chose ait pris forme dans des expériences sensibles. Il s'est passé quelque chose de nouveau qui a conduit les disciples à proclamer : « Christ est ressuscité ! »

Peut-on en dire davantage ?

Revenons à la reconstitution du groupe de Jésus. D'après Matthieu, Marc et Jean (ch. 21), les disciples sont retournés dans leur pays et à leur travail. C'est en Galilée que le groupe des dispersés se forme à nouveau. Une autre série de traditions fixe à Jérusalem des manifestations du Ressuscité. Derrière ces présentations, il y a des présupposés théologiques, on l'a dit. Mais certains biblistes ne renoncent pas à déceler, à l'arrière-plan des traditions évangéliques, un donné historique. Pierre aurait eu l'initiative de rassembler le groupe. Sans faire du roman, il n'est pas hors de propos de penser qu'après être rentrés chez eux, les Galiléens aient eu envie de se retrouver : que n'avaient-ils pas vécu ensemble ! Certains pensent également que la manifestation du Ressuscité en Galilée aurait conduit les disciples à revenir à Jérusalem pour y attendre la restauration d'Israël (Ac 1, 6). Quoi qu'il en soit de ces hypothèses qui essaient d'harmoniser des données certaines des textes, un fait est indéniable : les disciples qui avaient abandonné Jésus se sont regroupés, et c'est de ce regroupement que jaillit le cri : « Il est ressuscité ! » C'est de ce regroupement qu'a surgi le christianisme.

Pour ce groupe d'origine baptiste, se rassembler à nouveau a une signification fondamentale. Si après la disparition de leur Maître les disciples se regroupent, c'est parce qu'ils ont la conviction qu'il est vivant, vivant et les rassemblant. La foi en la résurrection est intrinsèquement liée au rassemblement des disciples. Se trouvant à nouveau ensemble du fait de celui qui est leur unité, ils perçoivent à travers ce qui leur arrive, ce qui est arrivé au Crucifié ressuscité. Dieu a rendu le Crucifié aux siens, Jésus ressuscite, mais il ne ressuscite pas seul, son groupe ressuscite avec lui. Ainsi s'expliquent de nombreux détails des textes.

Prenons l'exemple de la finale de Matthieu. La foi en la résurrection y est essentiellement présentée comme la foi en la présence du Christ parmi les siens ; siégeant à la droite de Dieu, le Seigneur est également présent aux siens sur la terre, dans une communion que rien ne peut plus rompre. La façon dont Jésus est désormais en relation avec tous les siens, n'est plus liée aux lois de ce monde. Où qu'ils soient, quelles que soient leurs situations, il sera avec eux.

En Galilée, les disciples avaient été regroupés, malgré leur extrême diversité, par la personne du prophète de Nazareth et à cause de l'espérance qu'il avait fait naître en eux. Voici que maintenant, ils se retrouvent à nouveau réunis par une présence renouvelée — et radicalement nouvelle — de Jésus. Pour les disciples, affirmer la résurrection de Jésus, c'est en même temps confesser que la puissance du Ressuscité les rassemble, les envoie et les accompagne dans leur prédication.

De l'abandon au pardon

Si le Ressuscité rassemble les siens, c'est qu'il n'a pas abandonné ceux qui l'avaient abandonné. L'expérience pascale est une expérience de libération : libération du désespoir, libération aussi du poids de la lâcheté. Jésus vient à la rencontre de ceux qui ont fui, de celui qui l'a renié trois fois.

Jean a particulièrement souligné cet aspect dans le récit du chapitre 20 (19-29) de son évangile. Jésus se trouve au milieu de ses disciples et leur donne la paix. On pourrait presque dire : il fait la paix avec eux. Ce souhait : « Paix à vous » a une force très grande pour un Juif, car la paix est, par excellence, le bien de Dieu. Par sa résurrection le Christ entre en possession des biens des derniers temps. Ces biens, il les communique à ceux dont il n'a cessé de se vouloir solidaire. Selon Jean, la rencontre du Ressuscité est intimement liée à une expérience de salut, à une réconciliation avec Dieu et avec son Envoyé, Jésus. Par ce pardon qui les établit en communion entre eux et avec Jésus, les disciples voient resurgir l'attitude de Jésus à l'égard des pécheurs sur les routes de Galilée, à l'égard de ses bourreaux au cours de sa passion. Ainsi, par le pardon, ils renouent avec ce qu'ils ont vécu en compagnie de Jésus avant Pâques. Ici apparaît une dimension nouvelle du thème de la reconnaissance.

Reconnaître Jésus de Nazareth, ce n'est pas seulement l'identifier grâce à ses plaies ; ce n'est pas seulement se reporter à ce qu'il a été. Faire mémoire de Jésus c'est autre chose. Dans leur pardon, les disciples perçoivent que l'aventure galiléenne se poursuit en eux et qu'elle est appelée à se poursuivre en tous ceux qui, comme eux, accueilleront le Ressuscité. Pour eux, le salut consiste à pouvoir, maintenant, faire leurs l'histoire et l'itinéraire de Jésus : recevoir de lui le pardon, continuer à le suivre, poursuivre sa mission sans jamais être séparés de lui. Ils vérifient ainsi, dans leur propre rassemblement, que c'est par cet homme Jésus que Dieu accorde le pardon. Ce n'est pas seulement une déduction logique du fait qu'avec Jésus advient le Règne ; ce n'est pas seulement la conséquence de la ratification que Dieu vient de donner au pardon qu'accordait Jésus aux pécheurs, c'est un donné qu'ils expérimentent dans leur vie propre.

Pardonner, ce n'est pas excuser : l'excuse minimise la réalité du mal qui a été commis. Pardonner, ce n'est pas oublier : l'oubli est une fuite de la réalité, de l'acte posé et de celui qui l'a posé. Pardonner, c'est regarder en face celui qui a fait mal et le mal qu'il a fait, et, en même temps, ne pas réduire celui qui a fait mal au mal qu'il a fait. Quand je pardonne, je fais un acte de foi en lui, et sur cet acte de foi, je crée avec lui une relation nouvelle ; j'ouvre devant lui une voie nouvelle. Voilà pourquoi le pardon ouvre un avenir, il crée un avenir, il suscite, re-suscite, fait renaître. Parce qu'il est essentiellement créateur, le pardon est un acte caractéristique de Dieu qui est le créateur par excellence.

Ayant reçu le pardon de Jésus ressuscité, les disciples voient s'ouvrir devant eux une voie nouvelle. Et ils deviennent des témoins de la réconciliation : à l'intérieur de leur vie communautaire par le pardon fraternel, aux yeux des autres par l'annonce du pardon de Dieu dont ils sont devenus porteurs, avec le Christ qui invisiblement les accompagne. Le pardon du Christ les fait naître et les constitue témoins de la réconciliation (Mt 18, 15-20 ; Jn 20, 21-23 ; 2 Co 5, 17-20).

Le pain et la parole partagés

La vie communautaire est le lieu de rencontre du Ressuscité qui donne le pardon et réconcilie avec Dieu. Un récit d'apparition, celui des disciples d'Emmaüs, a prolongé cela en suggérant que dans les premières communautés le partage de la parole et du pain était un lieu privilégié de la rencontre du Seigneur. Ici encore, apparaît la relation entre ce que les disciples ont vécu avant Pâques et ce qu'ils vivent après Pâques.

Après Pâques, ils continuent de recevoir du Seigneur le pain et la parole. Le Christ se tient au milieu d'eux, les rassemblant, et ses gestes deviennent les gestes de la communauté. En recevant et en donnant le pain, elle est constituée mémoire vivante de celui qui distribua le pain à ceux qui n'en avaient pas, et de celui qui partagea le pain avec les exclus, reprenant ces significations dans son ultime repas avec les siens. Sur la route d'Emmaüs, les disciples écoutent le Seigneur sans le reconnaître. Ils le reconnaissent à la fraction du pain. Alors leurs yeux et leur mémoire s'ouvrent, car ils se rappellent la parole entendue sur la route. On voit ainsi que le repas partagé avec les disciples est aussi le lieu de la reconnaissance du Seigneur et celui de l'écoute de sa Parole. Celui qui préside le repas est Jésus qui s'est fait le serviteur de tous.

Partage du pain et partage de la parole évangélique sont les caractéristiques de la communauté primitive, telle que Luc la dépeint dans des textes très courts mais très riches. Ainsi en Ac 2, 42 :

> Ils étaient assidus à l'enseignement des apôtres, à la communion fraternelle, à la fraction du pain et aux prières.

Le Ressuscité rassemble les siens pour qu'ils soient la

mémoire vivante de ce qu'il a vécu avec eux en Galilée et en Judée : le partage de la parole, l'écoute des Écritures dont il accomplit les promesses, le service d'autrui reconnu comme un frère auquel le pain est partagé, l'action de grâces qui est parole rendue à Dieu. Dans la communauté, les gestes et les paroles de Jésus ressuscitent. En les posant, la communauté célèbre la présence de son Seigneur, elle lui donne un visage aux yeux du monde : elle est elle-même l'être-au-monde de Jésus, son corps visible. « Vous êtes le corps du Christ... » (1 Co 12, 27).

Sans doute est-ce dans ces assemblées que les disciples vécurent véritablement ce que pouvait signifier pour eux non seulement être frères dans le Christ, mais aussi être constitués fils de Dieu. Dans leur liturgie de partage, ils ont repris la prière de leur groupe, le Notre Père, et confessé leur filiation. Les mots mêmes de Jésus à son Père deviennent les leurs (Ga 4, 6 ; Rm 8, 15).

Tous s'éprouvent fils et découvrent que cette filiation leur est conférée grâce au Christ. On s'explique pourquoi Paul a pu parler de sa vie nouvelle comme d'« une révélation du Fils » en lui (Ga 1, 16). Dans leur filiation, les disciples découvrent celle du Fils qui fonde la leur. En ces moments où ils vivent leur union renouvelée au Ressuscité, ils découvrent que Dieu est le Père de Jésus en un sens jusqu'alors inconnu :

> En ce jour-là, annonce Jésus selon saint Jean, vous connaîtrez que je suis en mon Père, et vous en moi et moi en vous (Jn 14, 20 ; cf. 17, 20-23).

L'amour que les disciples ont expérimenté dans le pardon est celui qu'ils avaient vu brûler le cœur de Jésus durant sa prédication. Il est celui-là même du Père, celui que le Père et le Fils se partagent.

La force et l'audace du témoignage

Il est un trait qui désigne à coup sûr la transformation des disciples : c'est le passage de la désespérance à l'espérance, de la peur à la joie, du repli à l'audace du témoignage. Car le christianisme est né de la parole et de la vie de pêcheurs galiléens qui se sont mis à parler avec force quelque temps après la mort de Jésus, leur Maître. Cela fait percevoir que la rencontre du Ressuscité, loin de marquer un terme à l'aventure des disciples, est pour eux un nouveau commencement. Rassemblés, réalisant le partage dans la conscience vive d'être réunis par le Seigneur et de continuer ses gestes, ils ne restent pas apeurés mais se mettent à l'annoncer. Dans les textes, la rencontre du Ressuscité est intimement liée à la naissance d'une vocation prophétique pour une mission qui est vécue comme la mise en œuvre de ce qu'a commencé le Christ.

Le théologien qui a le plus souligné cet aspect est Luc, au long de ses deux ouvrages, le troisième évangile et le livre des Actes, dont le sujet est le même : la course de la Parole au souffle de l'Esprit, course de la Parole dans l'existence de celui qui est conçu de l'Esprit Saint, course de la Parole à partir du lieu où elle a été ensevelie, Jérusalem, grâce aux disciples dont la mission est menée par l'Esprit qui a conduit l'existence de Jésus.

Marquant nettement la différence entre le temps de Jésus et le temps de l'Église, Luc a situé à la Pentecôte le départ de la Parole vers les Nations. En réalité, nous le savons, Pâques et Pentecôte sont les deux faces du même mystère. Pâques exprime la résurrection du Christ, Pentecôte celle des disciples, mais l'une et l'autre sont intimement liées : Dieu ressuscite le Christ et le rend aux siens, eux-mêmes ressuscités par la rencontre de leur Maître ; la vie nouvelle de l'Esprit qui anime le Christ est donnée aux disciples. C'est ce même Esprit qui fait d'eux un seul corps, dont le Christ est la tête, et c'est ce corps — le Christ total — qui porte maintenant l'Évangile.

Si le Ressuscité est à l'origine du réveil de ses disciples, si son Souffle explique leur audace, n'imaginons pas cependant que ce retournement fut l'œuvre d'un jour. Quand Luc montre l'Esprit à l'œuvre dans toutes les nations rassemblées à Jérusalem le jour de la fête juive de la Pentecôte, il brosse, dans les Actes des Apôtres, un tableau riche de la progression de la Parole.

Il est un fait capital qui souligne bien l'audace apostolique : la Parole a été portée hors des limites de la Palestine. Certes, ceci eut lieu pour des raisons très explicables : le fait que des Juifs convertis étaient d'origine grecque, la persécution de ceux-ci obligeant des communautés naissantes à émigrer, emportant la Parole avec elles. Sans qu'on puisse déterminer ce qui s'est passé, on voit ainsi Pierre annoncer l'Évangile à un centurion païen proche du judaïsme. On sait la difficulté que cela représente : Jésus n'a pas prêché en dehors du monde juif, il a suivi les prescriptions de la Loi. Or au chapitre 10 des Actes des Apôtres, Luc montre comment cette prédication au centurion Corneille et son admission dans la communauté étaient d'une nouveauté incroyable dont Pierre eut à s'expliquer. Si j'évoque ce cas, c'est pour souligner que la force de l'Esprit a conduit les disciples à poser des actes que leur Maître n'avait pas posés. Ce ne fut pas toujours de leur initiative — et les Actes précisent bien que l'Esprit est venu sur Corneille avant même que Pierre eut fait un geste ! — mais les disciples ont accepté ces prévenances de Dieu, même quand elles les conduisaient à aller au-delà de ce qu'avait fait Jésus. C'est dire la force créatrice et libératrice que fut pour eux le don de l'Esprit que Paul n'hésite pas à qualifier d'Esprit de liberté (2 Co 3, 17).

Ces expériences ont aidé à découvrir qui était Jésus, elles ont nourri la recherche de la foi qui voulait se dire. Les apôtres ont découvert le pardon dans leur expérience de réconciliés, ils ont aussi perçu, grâce à leur vie missionnaire, que Jésus était sauveur du monde. Nous verrons plus loin comment cette conviction a émergé peu à peu dans l'expression de la foi pascale. Mais ce qui se dira alors dans des mots s'est également vérifié dans l'apostolat, quand les disciples ont constaté que la Parole atteignait les païens et les faisait vivre : les sauvaient.

Paul a fait la même expérience : chassé des synagogues, il porta la Parole chez ceux qui n'étaient pas Juifs et vit à l'œuvre la puissance de l'Esprit parmi les Nations. Il lui apparut ainsi que la Loi était accomplie par le Christ. C'était, là encore, un point que les disciples et lui-même pouvaient déduire de leur foi pascale. Concrètement ils ont vérifié, non sans mal il est vrai, qu'il n'était plus nécessaire de passer par le Temple pour accéder au salut. Cet accès se fait désormais par l'unique médiateur, le Christ mort et ressuscité (1 Tm 2, 5).

La nouveauté de la mission découvre peu à peu aux disciples des perspectives radicalement nouvelles au regard de leurs conceptions d'avant Pâques. C'est dans le cheminement de la Parole que se révèle toute l'énergie dont elle est porteuse ; c'est dans les fruits de Pâques qu'ils en découvrent la plénitude. Les exemples pourraient être multipliés. Les évangélistes ont étroitement lié les apparitions à l'envoi en mission, parce que le mystère du Ressuscité se dévoile au fur et à mesure qu'il agit dans son Église. Dieu a épelé son nom au long de l'histoire d'Israël, c'est à ses gestes qu'on reconnaît qui il est. Ainsi du Ressuscité découvert sur les chemins de la mission : il se manifeste comme ressuscité dans la parole de ceux qu'il transforme et dont il fait les hérauts de son Évangile.

Communion, réconciliation, écoute et partage de la parole, réception et partage du pain, telles sont les caractéristiques de l'expérience de Pâques et de Pentecôte que font les disciples, telles sont les caractéristiques de la vie en Église. L'on peut ajouter, en pensant à la mission : l'Église ne vit de ses biens que dans la mesure où elle les communique, se manifestant ainsi mémoire du Christ qui accomplit sa vie en la donnant.

8

SOUS LE SIGNE DE L'ASCENSION

Ressuscité, Jésus se trouve auprès du Père, il est aussi avec les siens qui ont accès en lui à la communion du Père et du Fils. Il existe pourtant une distance entre la vie du Ressuscité et celle des disciples. Eux sont encore dans le monde, et le simple fait qu'ils aient une mission à remplir manifeste que l'avenir inauguré en Jésus n'est pas encore accompli, n'est pas encore leur. Entre la plénitude du temps et de la gloire dont vit Jésus et le temps des disciples, qui est le temps de la foi, existe comme un espace, l'espace de l'Église. C'est pourquoi, afin de marquer la communion dans la différence, les écrits du Nouveau Testament jouent, une fois encore, sur un double langage. Les disciples sont morts au péché avec le Christ, mais ils doivent quotidiennement faire mourir le vieil homme. L'Esprit est bien donné, mais comme des arrhes. Le Christ est ressuscité, mais comme prémices d'une moisson future... (Rm 6, 6 ; 2 Co 1, 22 ; 1 Co 15, 20).

Le temps de Pâques et de Pentecôte se vit donc dans un entre-deux. C'est encore un temps de silence. En glorifiant le Fils, Dieu ne s'est pas imposé à ceux qui ne croyaient pas. Le Seigneur s'est « fait voir » aux disciples qui l'avaient suivi ; il a suscité des témoins qui doivent parcourir un chemin analogue à celui de leur Maître, à la façon de leur Maître qui a refusé de mettre au service de la Parole la puissance du merveilleux. Ce chemin est celui du Serviteur.

Cet aspect du mystère pascal est souligné dans les évangiles par l'insistance sur la nécessité du départ de Jésus, évoquée en Jean ; il est également suggéré par la curieuse finale de Marc. Mais il a surtout été développé au début des Actes des Apôtres par le récit de l'Ascension.

Un aspect du mystère pascal

La signification de ces récits est souvent mal comprise, du fait de la chronologie de Luc, situant l'Ascension quarante jours après Pâques. C'est un procédé pédagogique destiné à développer progressivement les divers aspects du même mystère, et s'inspirant de la célébration liturgique qui étale, elle aussi, dans le temps les harmoniques pascales. Déjà dans le monde juif, la fête de Pâques formait un ensemble de cinquante jours avec la Pentecôte qui était, en quelque sorte, le dernier jour de la fête pascale. Pâques, Ascension, Pentecôte sont donc autre chose que la succession de trois jours. Ne retenir que ces données chronologiques, c'est reléguer dans un passé révolu des actes de Dieu qui nous rejoignent aujourd'hui. L'Ascension est un aspect du mystère pascal, elle indique une certaine façon de vivre Pâques et Pentecôte.

Cette unité du mystère a fort bien été marquée par Jean qui regroupe sur une seule journée les trois aspects de Pâques. Jean situe ainsi l'Ascension « le premier jour de la semaine », quand Jésus dit à Marie :

> Ne me retiens pas ! Car je ne suis pas encore monté vers mon Père. Pour toi, va trouver mes frères et dis-leur que je monte vers mon Père qui est votre Père, vers mon Dieu qui est votre Dieu (Jn 20, 17).

Telle est bien la nouveauté pascale. Une alliance nouvelle est scellée entre Dieu et les hommes par le Christ. Frères du Christ, les disciples ont accès à Dieu qui n'est plus seulement le Dieu et le Père de Jésus, mais le Dieu et le Père de ses disciples, de tous les hommes appelés à devenir disciples.

Pour Jean, il est vrai, le mystère de l'Ascension est présenté essentiellement comme le retour de Jésus vers son Père, en son nom et au nom de ses « frères ». Mais son texte suggère une autre dimension. L'évangéliste souligne qu'après Pâques, le rapport à Jésus n'est plus le même que durant sa vie précédente. « Ne me retiens plus ! » dit Jésus à Marie. Un changement radical est intervenu. Jésus échappe ; il n'est plus possible de mettre la main sur lui, de le retenir.

Chez Jean, cet aspect est suggéré discrètement, comme au détour du texte. Il est en revanche au premier plan dans le récit de l'Ascension qui se lit dans les Actes des Apôtres. Transcrivons ce passage afin de l'avoir en mémoire dans la suite de l'exposé :

> Les apôtres étaient réunis et avaient posé à Jésus cette question : « Seigneur, est-ce maintenant le temps où tu vas rétablir le Royaume pour Israël ? » Il leur dit : « Vous n'avez pas à connaître les temps et les moments que le Père a fixés de sa propre autorité ; mais vous allez recevoir une puissance, celle du Saint-Esprit qui viendra sur vous ; vous serez alors mes témoins à Jérusalem, dans toute la Judée et la Samarie, et jusqu'aux extrémités de la terre. »
>
> A ces mots, sous leurs yeux, il s'éleva et une nuée vint le

soustraire à leurs regards. Comme ils fixaient encore le ciel où Jésus s'en allait, voici que deux hommes en vêtements blancs se trouvèrent à leur côté et leur dirent : « Gens de Galilée, pourquoi restez-vous là à regarder vers le ciel ? Ce Jésus qui vous a été enlevé pour le ciel viendra de la même manière que vous l'avez vu s'en aller vers le ciel. » Quittant alors la colline appelée « Mont des Oliviers », ils regagnèrent Jérusalem (Ac 1, 6-12).

On aura remarqué que le récit se présente comme une réponse à la question : comment se fait-il que Pâques n'ait pas encore manifesté aux yeux des hommes toute sa puissance ? Le texte aborde cette difficulté et précise quelle est la condition du disciple : celle d'un témoin de Jésus, animé de son Esprit. La suite du récit approfondit ce thème, en mettant en œuvre des modèles bibliques ; dans la représentation du départ de Jésus, la mise en scène est empruntée à l'Ancien Testament.

Un enlèvement biblique !

A la fin de son évangile, Luc semble situer l'Ascension le jour même de Pâques, marquant ainsi, comme Jean, que l'exaltation conduit le Christ vers son Père : Lc 24, 36-53 est soigneusement écrit comme une seule séquence. Dans les Actes des Apôtres, la dimension ecclésiale est déployée dans le temps : c'est « après quarante jours » que Luc situe « l'enlèvement au ciel ».

Le nombre quarante correspond symboliquement dans la Bible à ce qui est inachevé, à ce qui est préparation. Quarante n'a pas la plénitude de cinquante (sept fois sept plus un, une semaine de semaines). L'attente de Noé dans l'arche dure quarante jours, comme le séjour de Moïse sur le Sinaï et la progression d'Élie jusqu'à la montagne de Dieu. Le peuple de l'Exode marcha dans le désert durant quarante ans. Nouveau Moïse et nouvel Élie, Jésus passera quarante jours au désert avant de commencer sa prédication. Le texte des Actes note que cette période précédant l'Ascension est consacrée à l'instruction des disciples par le Ressuscité. Il paraît que, vers l'époque de Jésus, les rabbins faisaient répéter quarante fois leur enseignement à leurs disciples pour s'assurer qu'ils l'avaient compris... Quoi qu'il en soit, le temps qui précède le départ du Ressuscité est un temps où la Parole de l'Évangile du Règne est comme assimilée par les disciples, un temps orienté vers leur mission de témoins de l'Évangile. A leur tour, après Jésus, ils se mettront en route.

La suite du texte est tissée de réminiscences bibliques. La

scène est située au Mont des Oliviers. C'est là qu'au moment de l'Exil du peuple à Babylone, le prophète Ezéchiel situe le départ de Dieu allant rejoindre les exilés. La mission d'Ezéchiel sera provoquée par ce départ, « l'esprit l'emmène vers les déportés » (Ez 11, 23-24) ; de même, la mission des disciples fera suite à la disparition de Jésus. Luc fait aussi allusion à un oracle du prophète Zacharie : quand Dieu instaurera son Règne, « ses pieds se poseront sur le Mont des Oliviers » (Za 14, 4) ; c'est pour cette raison que de nombreux juifs se font enterrer sur les pentes de ce mont (aujourd'hui encore). Les hommes en vêtements blancs qui parlent aux disciples annoncent une nouvelle venue de Jésus, en évoquant ce passage prophétique.

Il y a cependant, dans la rédaction de Luc, un trait qui mérite plus particulièrement de retenir notre attention. Avec insistance, Luc mentionne que les Apôtres *voient* l'enlèvement du Christ au ciel. Pourquoi souligner ce détail qui revient par trois fois en Ac 1, 9-11 (les yeux, le regard, la vue) ? C'est une allusion à Élie : Luc rapproche l'enlèvement de Jésus de celui d'Élie. Voici le texte du livre des Rois (2 R 2, 9-12) :

> Élie dit à Élisée (son disciple) : « Demande ce que je dois faire pour toi avant d'être enlevé loin de toi ! » Élisée répondit : « Que vienne sur moi, je t'en prie, une double part de *ton esprit !* » Il dit : « Tu demandes une chose difficile. *Si tu me vois pendant que je serai enlevé* loin de toi, alors il en sera ainsi pour toi, sinon cela ne sera pas. »
>
> Élie monta au ciel dans la tempête. Quant à Élisée, *il voyait* et criait : « Mon Père ! Mon Père ! Chars et cavalerie d'Israël ! » Puis il cessa de le voir.

Le récit de Luc s'éclaire. Les disciples qui ont vu Jésus au moment de son enlèvement au ciel, auront part à son Esprit, tel Élisée après le départ d'Élie. Le récit de l'Ascension caractérise une mission. Désormais les disciples ne peuvent plus voir Jésus avec leurs yeux, mais son Esprit est en eux. Ils n'ont pas à rester « le nez en l'air », plantés là à attendre que s'établisse avec puissance le Règne de Dieu : ils ont une mission à remplir. Instruits par le Ressuscité, ils ont maintenant à faire vivre sa Parole. L'Esprit de Jésus portera en eux cette parole.

Une absence nécessaire

Le temps de l'Ascension est le temps d'une absence : Jésus a été enlevé, disent les messagers. Le temps n'est plus où l'on pouvait le tenir de ses mains ou sous son regard. Le temps n'est plus où l'on pouvait attendre de lui « qu'il restaurât la royauté d'Israël » (Ac 1, 6). Les disciples doivent faire leur deuil d'un Jésus qui construirait à leur place l'histoire humaine. Élisée criait : « Mon Père ! Mon père ! » Jésus laisse entendre à ses disciples qu'ils vivront son absence comme la perte d'un père, et pourront se sentir « orphelins » (Jn 14, 18). Il ne sera pas pour eux le substitut du père imaginaire. Le moment n'est pas encore venu de s'asseoir dans le Royaume (Ac 1, 6), et il n'y a pas à attendre passivement le Retour glorieux du Christ. C'est le temps de l'Église, le temps de la marche, de la mission, de la terre ensemencée.

Comprenons-nous l'importance que Jésus accorde à un tel départ ? « Il est bon pour vous que je m'en aille. Si je ne pars pas, le Paraclet ne viendra pas à vous ; si, au contraire, je pars, je vous l'enverrai » (Jn 16, 7). D'où vient cette nécessité de partir ? De la nostalgie que nous avons d'un Dieu qui viendrait faire à notre place notre métier d'hommes et de femmes de la terre. Jésus s'efface afin de libérer un espace pour l'Église de la terre ; il s'efface pour que naisse une histoire, la course de sa Parole confiée aux disciples qu'il a « instruits ». Afin qu'ils puissent se mouvoir par toute la terre dans la force de son Esprit, le Christ doit être enlevé au temps et à l'espace, se soustraire à leurs yeux et à leurs mains. Quel parent ne comprend pas la nécessité de s'effacer devant l'enfant pour qu'il prenne sa dimension et assume sa vie ? Le Christ a enfanté une Église : elle jaillit de son corps crucifié, elle se lève avec lui vivante du tombeau le jour de Pâques et de Pentecôte. S'il peut maintenant l'accompagner et rester en constante communication et communion avec elle, elle par contre ne peut le voir, ni le toucher. (Et pourtant quelle tentation, n'est-ce pas, de « retenir » cette présence prisonnière dans des rites, des institutions, des autorités...) L'Ascension met en route les disciples pour qu'ils portent la Parole jusqu'aux extrémités de la terre. Ils ont part à l'Esprit de Jésus qui fera de leur propre existence un témoignage vivant de l'Évangile qui leur est confié.

Jésus à reconnaître sur nos chemins

Ce n'est plus « dans la chair » que les croyants ont à chercher Jésus, mais dans leur propre existence (cf. 2 Co 5, 16-17). Leur mission doit se dérouler à l'image de celle du Maître : non dans la puissance, mais dans le service. L'Esprit qui est donné est celui de Jésus, il est celui qui a mené la vie de Jésus. Avoir part à cet Esprit, c'est être invité à vivre la

Parole à la façon de Jésus, aux conditions qui furent les siennes sur les routes de Galilée et dans sa montée vers le Père : ce chemin passe par la croix. Ces conditions sont le service de Dieu, le service du prochain, la même lutte pour que l'homme soit un homme libre, face à ses frères et aussi face à Dieu, délivré de l'oppression du pouvoir (fût-ce celui de la Loi et de la Religion), de l'avoir (« nul ne peut servir Dieu et l'Argent »), et du savoir (« malheur à vous, scribes ! »).

Dans le récit de l'Ascension, les disciples sont interpellés : « Gens de Galilée ! » Ce n'est sans doute pas un hasard, et cela peut concerner les disciples de tous les temps. Jésus a accompli sa course. Aux disciples maintenant de vivre l'Évangile pour l'annoncer. A eux de se situer à nouveau en Galilée : leur vie évangélique doit commencer là où a commencé celle de Jésus ; et, de fait, la vie de tout chrétien ne commence-t-elle pas par un baptême ? Les routes du monde s'ouvrent devant les disciples, porteurs de la Parole, mais ils ont à les parcourir d'une certaine façon, à la manière dont Jésus a parcouru la Galilée. Ainsi se résout une apparente incohérence du récit. Les messagers vêtus de blanc annoncent aux disciples que Jésus reviendra de la même façon qu'il est parti, et l'allusion au prophète Zacharie confirme que cette nouvelle manifestation aura lieu au Mont des Oliviers. On pourrait donc s'attendre à ce que les disciples restent à cet endroit pour participer à cet Événement. Et pourtant, il leur est demandé de partir. C'est que l'on ne rejoint le Mont des Oliviers qu'en empruntant un certain itinéraire. Voilà pourquoi les disciples doivent à nouveau se situer en Galilée, au sens symbolique que nous avons vu. On ne monte pas vers le Père de n'importe quelle façon, mais à la façon de Jésus, en montant à Jérusalem au terme de son chemin, en passant par la croix. C'est ainsi qu'on se rend au Mont des Oliviers dans l'espérance d'y rencontrer celui qui doit s'y manifester.

Jésus nous a été enlevé. Nos yeux ne peuvent le voir, nos mains ne peuvent le toucher, encore moins le retenir. C'est le temps de la terre, le temps de la foi, le temps du pèlerinage vers le Père. Comme Luc l'a admirablement suggéré dans le récit des disciples d'Emmaüs, le temps qui suit Pâques est *un temps où Jésus s'efface.* Il s'efface derrière les signes : « Il prit le pain, le rompit, le leur donna... Leurs yeux s'ouvrirent et ils le reconnurent, puis il leur devint invisible » (Lc 24, 30-31, 35). Ressuscité, Jésus s'enfouit dans la communauté, où il se fait reconnaître dans les gestes évangéliques du partage et de la communion (Ac 2, 42-47). Ce n'est pas dans le ciel que nous avons à le chercher, mais dans la mise en œuvre concrète de son Évangile.

A l'intérieur des espaces fraternels que l'Esprit nous fait ouvrir, Jésus mystérieusement vient à notre rencontre. Si à notre tour nous savons nous effacer devant l'autre qui est notre frère, pour vivre avec lui le partage, alors, oui, mais plus tard et cette fois-là au ciel (dans le face à face avec Dieu), le Christ pourra nous dire : « Quand tu as donné à manger à l'un de ces petits, c'est à moi que tu l'as fait » (cf. Mt 25, 37-40).

II

LE DÉPLOIEMENT DE LA FOI PASCALE

En cheminant avec le Ressuscité, les disciples ont inscrit dans des noms — des titres — les divers aspects qu'ils percevaient peu à peu de la mission du Christ et du mystère de sa personne. Ils sont passés, de la proclamation et de la prière, à la prédication et aux catéchèses. Ainsi se sont formées, au creux de l'existence de communautés diverses par leurs origines et leurs soucis, des confessions de foi et des réflexions croyantes dans lesquelles la Parole prit chair en des langages et des cultures différentes.

Nous avons reçu de la Tradition ces expressions de la foi apostolique : Christ est mort pour nos péchés une fois pour toutes, il est le Sauveur ; Jésus est le Fils du Dieu vivant... Afin de recueillir ces richesses pour les faire nôtres, il est important de percevoir comment elles ont vu le jour. Nous savons maintenant dans quel contexte elles sont nées : au creuset d'une vie évangélique, et cela nous met en garde contre une utilisation des confessions de foi qui serait sans lien avec une existence selon l'Évangile. Mais le croyant, en quête d'intelligence, désire aussi suivre l'itinéraire des disciples et de leurs réflexions afin de mesurer le poids des mots de la foi.

Le point de départ de cette réflexion est l'expérience pascale, l'affirmation de la résurrection du Christ. Le seul mot de résurrection n'est pas assez fort pour porter un tel mystère. Il suffit, pour s'en rendre compte, de se laisser prendre par le lyrisme des textes : « Christ est ressuscité, Dieu l'a relevé, il s'est éveillé d'entre les morts, il a été élevé à la droite du trône de Dieu, il est monté vers le Père, il est établi Seigneur, il est descendu aux enfers, pour accéder au ciel il a traversé tous les cieux afin de s'asseoir à la droite de Dieu, il a reçu le Nom qui est au-dessus de tout Nom, a été établi Fils de Dieu en puissance... » Ces expressions qu'il serait possible d'affecter de références, suggèrent la richesse du même mystère pascal. A partir de ce que nous connaissons de l'attente des disciples et de l'expérience qu'ils ont eue de Jésus, dégageons les principales harmoniques de leur foi.

Ces harmoniques nous sont données par les discours missionnaires composés par Luc dans les Actes des Apôtres (Ac

2, 14-40 ; 3, 12-26 ; 4, 8-12 ; 5, 29-32 ; 10, 34-43 ; 13, 16-41). Leur structure est identique. Au cœur de l'annonce se trouve la proclamation que le Crucifié est maintenant vivant : celui qui a été rejeté par le peuple est devenu, de par la toute-puissance de Dieu, Christ et Seigneur, Prince de la vie, Fils de Dieu. Puis cet acte de Dieu est situé dans son dessein : il accomplit l'histoire du salut. Dans les textes cette dimension est indiquée par de nombreuses citations bibliques : la résurrection donne la clé des Écritures, en elle se concentrent toutes les paroles de Dieu, celles de la Loi et des Prophètes. Enfin, Pâques se situe à l'origine des temps nouveaux, ceux de l'Esprit : les disciples font l'expérience de cette vie nouvelle où se dévoile à eux le Ressuscité ; ils en sont les témoins.

Cette structure tripartite de l'annonce pascale donne les principaux éléments qui soutiendront la réflexion des communautés : elles se nourriront de leur expérience pascale et de la relecture des Écritures, comme de la mémoire qu'elles ont gardée de Jésus de Nazareth. Ce schéma est analogue à la démarche des disciples d'Emmaüs : le Ressuscité présent dans la communauté par son Esprit explique la signification de son mystère en faisant appel à l'ensemble de l'Écriture et en montrant que ses indications convergent vers le destin de celui que le peuple a rejeté. C'est le Crucifié qui est ressuscité. Cela signifie que Dieu a dit oui à ce qu'a vécu Jésus. Sa résurrection témoigne qu'il n'est pas impie mais juste : le Juste par excellence.

A partir de ce donné de foi, la réflexion des communautés s'engage dans une double voie. Si Jésus est le Juste, toute sa vie est justice. Ce qui a fait scandale, notamment sa fin ignominieuse, sera à nouveau interrogé, afin de comprendre comment, derrière ces événements, se cachait la mystérieuse sagesse de Dieu. Les récits évangéliques de la passion, et l'ensemble de la relecture de la vie de Jésus, sont les témoins de cette intense recherche de la foi à la lumière de Pâques.

Une autre ligne de recherche, intimement liée à la précédente, concerne la révélation du mystère personnel de Jésus. Quel est donc cet homme que l'on croyait connaître et dont le destin épouse celui de la création de Dieu ? Les proclamations pascales, celles des discours missionnaires comme celles des acclamations liturgiques, confèrent à Jésus ressuscité une suite de titres qui tentent de cerner ce mystère. Par sa résurrection Dieu l'a fait Messie, parce qu'en lui s'accomplissent les promesses ; il mérite aussi d'être appelé « Fils de Dieu », car ce titre concerne surtout le descendant de David (Ac 2,

31.34 ; 3, 18-20 ; Rm 1, 3). Inaugurant le temps de la vie définitive avec Dieu, il peut être appelé aussi Prince de la vie (Ac 3, 15 ; 5, 31) et Seigneur (Ac 2, 36 ; 10, 36). Mais faut-il uniquement utiliser ces noms pour désigner le Jésus d'après Pâques ? Ce qu'on découvre de lui à cette lumière nouvelle n'est-il pas la révélation de ce qu'il était auparavant ? De fait, certains titres sont également utilisés pour dire qui *était* Jésus : il était bien le Prophète des derniers temps annoncé par Moïse (Ac 3, 22) ; il était bien le Serviteur de Dieu (Ac 3, 13, 26), le Saint et le Juste (Ac 3, 14-15). On pressent que la Bible entière est comme mobilisée pour rendre compte du secret de la personne de Jésus.

Suivons ces deux voies de recherche, celle qui scrute l'œuvre du Christ, celle qui s'enquiert de son identité profonde. Cette double recherche des premiers disciples déploiera devant nous les harmoniques de la foi pascale, comme un prisme déploie dans l'arc-en-ciel les couleurs de la lumière blanche.

9

L'ŒUVRE DE DIEU ACCOMPLIE EN SON CHRIST

Christ est ressuscité, la fin du monde est là ! Cette conviction, paradoxale parce que contredite par la réalité quotidienne, a conduit les chrétiens à réfléchir sur le salut accompli en lui. Leur réflexion s'est portée notamment sur la signification nouvelle de leur vie, et sur le scandale de la croix, si éloigné de ce qu'était leur attente.

« C'est maintenant le jour du salut » (2 Co 6, 2)

Si Jésus est ressuscité d'entre les morts, cela signifie pour les Juifs que sont les disciples l'avènement des derniers temps. La résurrection, on s'en souvient, était attendue comme un événement essentiellement collectif. Celle du Christ ne peut donc que donner le signal d'un Événement qui n'a pas encore déployé toute sa dynamique. Les épîtres de Paul aux Thessaloniciens, qui datent des années 50, montrent l'intensité de l'attente de la suite, non pas des événements, mais bien de l'Événement. Afin de marquer le lien étroit qui unit ce qui est arrivé au Christ et ce qui arrivera à ses disciples, Paul parlera du Ressuscité comme de l'Adam d'une humanité nouvelle. Il verra en lui le germe d'un monde entièrement réconcilié avec Dieu, les prémices d'une création nouvelle (Col 1, 15-20 ; 1 Co, 15 ; Rm 5, 12-21, etc.). Par conséquent, la résurrection du Christ nous situe d'emblée à la fin de l'histoire : elle est comme l'irruption dans notre histoire de ce que sera — de ce qui est — « la plénitude du temps » (Ga 4, 4).

Une telle annonce est paradoxale, et nous aurons l'occasion de revenir sur ce paradoxe dans la dernière partie de cet ouvrage. Les prophètes annonçaient le Jour du Seigneur en faisant appel à des images terribles que Jean Baptiste reprit. Or, pour les Juifs qui entendent le message des disciples, le cours du monde n'a pas changé. Avec la résurrection du Christ, Dieu rompt le silence... silencieusement !

Les disciples ont vécu cette difficulté. Parmi les titres qu'ils attribuent au Ressuscité, certains lui confèrent une tâche, ce qui signifie qu'une œuvre définitive est commencée mais non encore achevée. Ainsi le Christ est appelé Messie, parce qu'il doit encore « rétablir toutes choses », expression empruntée au vocabulaire qui évoque la restauration d'Israël (comparer Ac 3, 20-21 et 1, 6). En 1 Co 15, 28, Paul parle du nouvel Adam qui, par la résurrection, a reçu le Règne de Dieu à établir, mais cet accomplissement est attendu de la fin des temps, présentée ici comme future : « Quand toutes choses auront été soumises, le Fils lui-même se soumettra à Dieu. » Mentionnons encore la finale de l'évangile de Matthieu, dans laquelle le Ressuscité est investi de tous les pouvoirs afin d'accompagner les siens dans leur œuvre d'évangélisation. La foi pascale est donc loin de conduire les disciples à s'installer dans l'inactivité. Elle les oriente vers un avenir à faire ; elle se vit sous le signe de l'Ascension.

Le temps de la résurrection est donc le temps qui inaugure la fin. Par l'exaltation de Jésus, Dieu anticipe en sa personne la venue de son Règne. La victoire définitive sur la mort est remportée, non pour le Christ seul, mais pour tous, dans la mesure où ce qui est arrivé à Jésus Christ est un événement d'une portée universelle. Il s'ensuit qu'on peut lire dans sa résurrection l'avenir promis par Dieu à la création. Cette dialectique est très présente dans la théologie paulinienne : puisque dans le Christ se réalise le destin promis à tout homme, puisqu'en lui l'homme est réconcilié avec Dieu, tentons de conformer notre existence de croyant à cet avenir. Parce que le Règne de Dieu est advenu, la réconciliation des hommes entre eux et avec Dieu est acquise, elle est devenue une promesse pour tous les hommes : vivons donc maintenant en fonction de ce que nous sommes appelés à devenir, faisons en sorte que les barrières sociales entre Juifs et Grecs, esclaves et hommes libres, soient transgressées, que dès maintenant la communauté chrétienne soit un espace où s'inscrive concrètement dans les rapports humains l'avenir de réconciliation que la résurrection du Christ promet à tous. Outre les textes classiques sur ce sujet en Col 3, 5-15, Ga 3, 26-28 ; Ep 2, 14-18, on peut lire dans cet esprit les conseils que Paul donne à Philémon, l'invitant à considérer son esclave comme un frère dans le Christ (Philémon 16). La théologie moderne met beaucoup en œuvre cette dialectique de l'anticipation du futur dans le présent, afin de proposer aux chrétiens une dimension politique à leur engagement évangélique.

La croix du Ressuscité

Vingt siècles de christianisme nous ont habitué au langage de la Croix, et nous mesurons mal le scandale de cette mort de Jésus, considérée par les païens eux-mêmes comme la plus honteuse. Paul n'hésite pas à écrire que Jésus est mort comme un maudit (Ga 3, 13). C'est dire l'incalculable difficulté des premières communautés à intégrer une telle fin dans le dessein de Dieu. Au reste, les annonces missionnaires proclamant la bonne nouvelle de Pâques sont très discrètes sur la croix. Elle est mentionnée de façon rapide mais aucune citation de l'Écriture n'en approfondit le sens. Toute l'attention est alors dirigée vers le présent du Ressuscité et l'avenir qu'il inaugure.

Mais la difficulté était là ; elle fut certainement très longue à surmonter. Si la résurrection de Jésus est l'avènement des derniers temps et l'accomplissement des Écritures, comment introduire la croix dans cette plénitude ? Les longs récits de la passion témoignent de la recherche des chrétiens qui à l'aide de leur Bible ont repris chaque moment de la marche de Jésus vers la mort, afin d'y trouver un sens, comme si la découverte d'un verset de l'Écriture correspondant à certains détails du supplice atténuait le scandale. On pourrait reprendre ici cette méditation de l'Église sur la mort de son Sauveur. Signalons seulement, à titre d'exemple, le rôle joué dans cette recherche par les oracles prophétiques sur le Serviteur de Dieu, dans la deuxième partie du livre d'Isaïe. L'hymne cité par l'épître aux Philippiens (2, 6-11) en porte la trace, et des expressions de notre langage chrétien comme « mort pour nos péchés, expiation... » en sont également le fruit.

Les textes permettent de retrouver une certaine progression dans la réflexion des chrétiens sur la croix. D'abord considérée comme un échec difficile à intégrer dans l'annonce pascale, elle fut ensuite reconnue comme la mort du juste que Dieu a réhabilité en le faisant entrer dans sa gloire. A ce moment-là, Jésus est moins perçu comme celui qui est mort *pour* les péchés des hommes que comme celui qui est mort *par* leurs péchés, par leur méchanceté.

Observons cependant que la prédication de la croix a suivi la prédication de Pâques. Cela signifie que les premières communautés sont parvenues à établir un lien entre la mort du Christ et sa Pâque. Il ne s'agit pas seulement d'un lien événementiel, au sens où l'on pourrait dire, cavalièrement : « Pour que le Christ ressuscite, il faut bien qu'il meure. » Non ! La réflexion va beaucoup plus loin. Affirmer en effet que le Christ est mort pour nos péchés, c'est véritablement considérer que la mort en croix est porteuse de salut, non plus seulement comme condition de la résurrection qui est le Jour du salut, mais en elle-même. Elle en vient à faire un tout avec la résurrection pour constituer l'événement pascal.

La rédaction des évangiles de la Passion porte la trace de cette conviction et de ce travail théologique. Citons quelques exemples. Dans le récit de Jean, le comportement du Christ est véritablement celui d'un Sauveur déjà victorieux qui domine la situation d'un bout à l'autre, depuis son arrestation où ceux qui l'appréhendent tombent à ses pieds, jusqu'à la dernière parole où c'est Jésus lui-même qui semble décider du moment où sa vie a véritablement accompli tout ce que le Père attendait d'elle. Bien plus, c'est Jésus lui-même qui donne l'Esprit du haut de la croix, tandis que l'Église sort de son côté sous la forme du baptême (eau) et de l'eucharistie (sang). Chez Matthieu (27, 51-53), dès la mort de Jésus, « le voile du temple se déchire », signifiant ainsi que la mort de Jésus permet aux hommes d'accéder librement à Dieu, puisque le voile qui ferme le sanctuaire de sa présence n'existe plus. « Les tombeaux s'ouvrent » parce que la mort de Jésus est victoire sur toute mort. Le sens théologique de ce passage est évident, et l'on se met dans l'impossibilité de le comprendre quand on s'obstine à en faire une lecture anecdotique. Matthieu n'écrit-il pas, en effet, que les morts qui se sont levés du tombeau sont entrés dans la Ville sainte après la résurrection du Christ ? Le lecteur « anecdotique » aura bien du mal à expliquer ce qu'ont pu faire ces ressuscités dans leur tombeau pendant deux jours ! Matthieu sait que la résurrection de Jésus est la promesse de la résurrection pour tous. Sa mise en scène fait entendre que la croix fait corps avec la résurrection de Jésus.

Comment les premiers chrétiens sont-ils parvenus à voir dans la croix du Christ l'événement même du salut ?

« Dans sa chair il a détruit la haine »

L'approfondissement de la compréhension du salut, que nous venons de constater, s'explique par la lumière que Pâques a projetée sur la personne de Jésus[4].

A Pâques, Dieu instaure son Règne non seulement pour Jésus, mais pour tous : la résurrection du Christ est l'ouverture du Jour du salut ; elle fait percevoir Jésus comme le Messie, le Seigneur par qui vient le Règne. Dès lors, la mort du Christ ne peut plus être considérée seulement comme la mort du Juste ou celle du Prophète des derniers temps. Elle

4. Je m'inspire ici de J. MOLTMANN, *le Dieu crucifié,* Cerf, 1974, p. 208-209 et de J. DORE, *la Résurrection de Jésus à l'épreuve du discours théologique, Rech. Sc. Rel.,* 65/2 (1977), p. 302-304.

est la mort du Messie, c'est-à-dire de celui qui porte en lui l'espérance du salut de tous. Nous revenons toujours à ce même point « crucial » de l'annonce pascale : celui qui est ressuscité est le Crucifié. Ce n'est pas de n'importe quel homme, ni de n'importe quelle mort qu'il s'agit. En ressuscitant Jésus, Dieu authentifie sa justice et son message. Si le Règne est établi dans la résurrection du Christ, c'est qu'il est lié au destin de Jésus, comme il l'avait dit et vécu lui-même dans sa prédication. Rappelons-nous : en Jésus se joue le Règne de Dieu ; sa vie, ses paroles, ses miracles, l'ensemble de son comportement sont le Règne de Dieu en acte, l'espace où Dieu se réconcilie les pécheurs. La mort de Jésus n'est donc pas un fait du hasard, elle doit être lue à un autre niveau que celui du rejet par les chefs religieux. Tout au long de sa vie Jésus a fait corps avec l'annonce du Royaume, ses faits et gestes ont été le Royaume en acte. Si Dieu dit oui à cette vie-là, il dit oui aussi à sa mort. La mort du Christ, conséquence de son combat pour la venue du Règne de Dieu, est donc, elle aussi, le Règne de Dieu en acte. Les guérisons disaient la venue du Règne qui libère des puissances du mal, l'attitude de Jésus à l'égard des pécheurs — jusque sur la croix — disait qu'en lui Dieu régnait par le pardon. Dieu authentifiant cette existence, il est possible de poursuivre : la mort du Christ est le sceau de sa vie, elle est la manifestation de Dieu qui donne sa vie pour les pécheurs, elle est une mort pour nos péchés.

On le voit, l'authentification de toute l'existence de Jésus par sa résurrection fait jaillir sur sa mort une lumière nouvelle. Dans sa mort, il est celui qui instaure le Règne et brise les tombeaux, dans sa mort il établit la réconciliation. Ses paroles de pardon à l'égard des bourreaux prennent alors une dimension nouvelle. Elles sont les paroles mêmes du Messie qui vient établir le Règne de Dieu et réconcilier tous les hommes[5]. La résurrection, instaurant ce Règne de la réconciliation, manifeste la vérité du pardon du Christ. Dieu authentifie le pardon du Christ mourant. Sur la croix, le Messie mourant réconciliait le monde des hommes avec Dieu :

> Maintenant, en Jésus Christ, vous qui jadis étiez loin, vous avez été rendus proches par le sang du Christ. C'est lui, en effet, qui est notre paix : de ce qui était divisé, il a fait une unité. Dans sa chair, il a détruit le mur de séparation : la haine. Il a aboli la loi et ses commandements avec leurs obser-

5. Voir Ch. DUQUOC, *Jésus homme libre,* Cerf, 1973, p. 107-108.

> vances. Il a voulu ainsi, à partir du Juif et du païen, créer en lui un seul homme nouveau, en établissant la paix, et les réconcilier avec Dieu tous les deux en un seul corps, au moyen de la croix ; là, il a tué la haine. Il est venu annoncer la paix à vous qui étiez loin, et la paix à ceux qui étaient proches. Et c'est grâce à lui que les uns et les autres, dans un seul Esprit, nous avons accès auprès du Père (Ep 2, 13-18 ; cf. Ac 3, 20-21).

Cette acquisition de la foi apporte un approfondissement considérable dans la compréhension de l'œuvre du Christ et de sa personne. La foi pascale implique que le Christ est associé à Dieu dans la venue définitive du Règne. Constitué Seigneur et Messie, il a pour tâche de pousser plus avant l'événement, si je puis m'exprimer ainsi, afin que sa victoire devienne la victoire de tous pour que « Dieu soit tout en tous » (1 Co 15, 28 ; Ac 3, 20-21).

Or ce qui vient d'être dit sur la signification salvifique de la croix, permet de tenir un semblable langage. De même que, dans la résurrection, le Christ n'est pas seulement bénéficiaire du Règne, mais devient avec Dieu le réalisateur de sa venue, de même, sur la croix, il est Médiateur et réalisateur de la réconciliation. Il n'est pas seulement sur la croix l'instrument du salut de Dieu ; il est celui qui opère le salut de Dieu. Mesurons-nous la portée d'une telle affirmation ? C'est une mort humaine, historique, qui effectue le salut. Si l'on se rappelle ce que nous avons dit du combat de Jésus, et de la relation profonde qui existe entre la mort qu'il a subie et la vie qu'il a menée, on peut ajouter : *c'est toute l'existence humaine* de Jésus — et le type d'existence qu'il a menée, avec ses options, son parti pris pour les petits — qui non seulement est authentifiée par Dieu, mais qui peut être considérée comme le salut en acte. Dieu accorde le salut par l'histoire humaine concrète qu'a vécue et voulue Jésus. Dans cette existence historique, Dieu même se réconcilie le monde (2 Co 5, 19).

L'approfondissement de la foi pascale et du scandale de la croix rejaillit sur toute l'existence de Jésus, et éclaire de façon nouvelle sa personne, sa relation à Dieu. Qui est Jésus pour Dieu et qui est Dieu pour Jésus, pour que l'existence du prophète de Galilée soit ainsi le lieu même où s'effectue le salut ?

10

LA RÉVÉLATION DU MYSTÈRE DE JÉSUS

La recherche concernant Jésus peut être reconstituée, au moins par fragments, grâce aux titres qui lui sont décernés et à l'évolution de certaines formulations. On se gardera d'imaginer le processus que nous allons évoquer comme un développement homogène commun à toutes les communautés. Celles-ci sont en effet très diverses : communautés palestiniennes d'origine juive, communautés palestiniennes d'origine grecque, communautés judéo-chrétiennes de Syrie et d'Asie Mineure, communautés pagano-chrétiennes, etc. Dans ce contexte, les références culturelles ne sont pas les mêmes partout. Les communautés de mentalité grecque, par exemple, seront plus sensibles à certains thèmes comme celui de l'unité et de l'universalité, et le développement de leur pensée théologique mettra en œuvre des notions grecques, comme celle de *Logos* (verbe, parole), selon une tradition de pensée enracinée dans le judaïsme hellénistique (pensons à Philon d'Alexandrie, qui vécut une génération avant Paul).

Malgré cette variété de communautés, et compte tenu des réserves que suscitent les reconstitutions, l'évolution évidente de certaines formulations d'une œuvre à l'autre ou à l'intérieur d'un même écrit et l'analyse des traditions du Nouveau Testament offrent des points de repère précis qui autorisent à parler d'un certain processus dans la prise de conscience que les chrétiens ont faite de la personnalité de Jésus. Dans les pages précédentes, nous avons perçu ce progrès dans la compréhension du salut apporté par et en Jésus Christ. Ce travail de l'Esprit dans les communautés dévoile également l'identité de Jésus : Pâques le manifeste dans la gloire, signifiant qui il est maintenant pour les hommes et pour Dieu ; la foi découvre alors qui était le Prophète de Galilée, jusqu'à suggérer son origine en Dieu, de toute éternité.

Exalté à la droite de Dieu

Par la résurrection Dieu a établi Jésus dans une condition nouvelle. Les formulations très anciennes utilisent des expressions qui parlent de Jésus en termes de devenir : « Il a été établi en puissance Fils de Dieu » (Rm 1, 3), « il a été fait Seigneur et Christ (Messie)» (Ac 2, 36), « Dieu l'a mis à sa droite » (Ep 1, 20), etc. Ceci suggère une nouvelle relation de Jésus à Dieu : il partage ses prérogatives dans l'accomplissement de son dessein de salut, il est médiateur et exerce le jugement. Le nom même de Seigneur, que la Bible grecque utilise pour rendre le Nom imprononçable de Dieu, lui est également attribué. La finale de l'hymne ancienne citée par Paul en Ph 2, 6-11 est, à cet égard, très significative :

> Dieu l'a souverainement élevé
> et lui a conféré le Nom qui est au-dessus de tout nom,
> afin qu'au nom de Jésus tout genou fléchisse,
> dans les cieux, sur la terre et sous la terre,
> et que toute langue confesse que le Seigneur,
> c'est Jésus Christ, à la gloire de Dieu le Père.

D'après ce passage, où la résurrection est évoquée selon le schéma de l'exaltation, Jésus reçoit tout pouvoir sur la terre comme au ciel au même titre que le créateur. Il reçoit aussi le Nom, ce tétragramme imprononçable qui désigne Dieu ; c'est pourquoi, comme Dieu, il est digne d'adoration. La résurrection dévoile donc l'entrée de Jésus dans la sphère du divin.

Il est difficile de reconstituer le cheminement, certainement lié à des expériences, qui a conduit les disciples à de si étonnantes proclamations. Sous l'emprise de l'Esprit, ils ont certainement éprouvé la Seigneurie du Christ à leur égard. Certains auteurs estiment que l'usage du nom de Seigneur, exprimant d'abord la relation des disciples au Ressuscité, a entraîné la foi dans sa dynamique ; les mots spontanés de la prière auraient ainsi influencé la réflexion des disciples percevant qu'ils confessaient Jésus comme Seigneur... donc comme Dieu. Ce n'est qu'une hypothèse. On peut également constater dans les textes relatant la prédication des disciples, la disparition du thème du Règne de Dieu, au profit de l'annonce du Ressuscité. Cet effacement de la notion de Règne dans le vocabulaire des chrétiens, alors qu'elle est absolument centrale dans la prédication de Jésus, suggérerait que les disciples ont perçu que le Règne de Dieu était le Ressuscité lui-même : il est lui-même Dieu-qui-vient !

A ce stade de la réflexion, le titre de Fils de Dieu n'a pas encore le sens fort qu'il prendra par la suite. C'est un titre glorieux, essentiellement messianique : par la résurrection Jésus est fait Messie, constitué Fils de Dieu en puissance. Dans l'Ancien Testament, ce dernier titre était donné au peuple de Dieu, puis, plus particulièrement, au roi, descendant de David, qui portait la responsabilité du peuple. Il en vint à désigner le Messie. Plus proches du temps de Jésus, la disparition de la descendance davidique, et la réflexion sur le sort des justes martyrs ont conduit à nommer ces derniers « fils de Dieu ». Dans la proclamation pascale, le titre de Fils de Dieu souligne qu'en Jésus est établi le Règne de Dieu pour tous. De telles prérogatives sont proches de celles du Fils de l'homme venu sur les nuées et recevant la Royauté. Le titre de Fils de l'homme lui aussi disparaît rapidement du vocabulaire de la foi, comme si, peu à peu, le titre de Fils absorbait toutes les harmoniques du mystère de Jésus, jusqu'à désigner son *moi* personnel. Comment expliquer cette évolution ?

Fils de Dieu dans la chair

La proclamation pascale parle de l'accession de Jésus à la sphère du divin : il a été fait Seigneur, il a reçu LE NOM. Mais ces affirmations ne peuvent suffire à exprimer son mystère. De fait, dans la prédication missionnaire, figure toujours, très nettement soulignée, l'affirmation de l'identité du Ressuscité avec le Crucifié. La lumière de Pâques embrase la mémoire des disciples pour percer le secret de celui à qui Dieu a réservé un tel destin et une telle exaltation au point de devenir un être divin qu'on adore. Est-il possible d'être sujet d'adoration sans toujours l'avoir été ? *Devient*-on Dieu ?

En réalité, nous l'avons vu précédemment, c'est toute l'existence historique de Jésus qui est porteuse de salut, et pas seulement son exaltation par-delà la mort. Dès lors, tous les points d'interrogation qui, pour les disciples, avaient jalonné l'itinéraire du prophète de Nazareth, sont à nouveau scrutés. Dans la mesure où l'un des sens de la résurrection est la réhabilitation de Jésus par Dieu et la ratification de ce qu'il a vécu, toutes les prétentions du Prophète vont devenir autant de sources de lumière permettant de déceler le secret de celui qui est reconnu maintenant comme le Juste de Dieu. En cet homme se manifestait en effet la prétention de représenter Dieu sur la terre : par le pardon des péchés, par l'attitude à l'égard du Temple et de la Loi, par l'autorité de sa parole. Celui qui annonçait le Règne affirmait que l'entrée dans le Règne était liée à l'attitude qu'on adoptait à son égard ; il se disait ainsi plus grand que Moïse et se faisait l'égal de Dieu. Ses disciples avaient également perçu qu'il s'adressait à Dieu d'une manière extraordinaire, comme jamais homme n'avait osé le faire. Tel est le Jésus qui ressuscite dans la mémoire de ses disciples à la lumière de Pâques.

Tout ce qui a paru excessif pour ses adversaires, tout ce qui fut pour les siens signe d'une mission transcendante — ne serait-ce pas le Messie de Dieu ? — se manifeste dans une clarté nouvelle : il est vraiment ce qu'il a prétendu être ! Les rédactions évangéliques portent constamment la marque de cette lecture nouvelle de la vie de Jésus : la foi de Pâques donne à ses paroles et à ses gestes une dimension autre.

« Tu es le Messie de Dieu » avait osé proclamer Pierre. Dans sa version de cet épisode, Matthieu ajoute : « Le Fils du Dieu vivant » (Mt 16, 16). Celui que Pierre a reconnu est beaucoup plus que ce qu'il pense, et l'évangéliste marque dans son récit la compréhension nouvelle acquise par les communautés. Jésus peut être confessé comme le Fils, non plus seulement au titre de sa Pâques, au titre de sa dignité de Fils de l'homme ou de Messie-Fils de Dieu en puissance, mais à cause de la ratification par Dieu de l'extraordinaire *je* de Jésus de Nazareth. La résurrection manifeste de façon éclatante que l'espérance de Jésus était enracinée dans son union à Dieu. La réconciliation qu'il acquiert pour tous en établissant le Règne de paix peut déjà se voir à l'œuvre dans le pardon partagé au long des repas de la vie galiléenne et jusqu'à la veille de sa mort à Jérusalem. La médiation qu'il exerce comme Ressuscité est déjà prophétisée dans son geste à l'égard du Temple, devenu inutile parce que la relation à Dieu s'établit désormais dans l'espace de sa vie : il est Dieu-avec-nous, Emmanuel.

La confession pascale peut désormais prendre racine dans l'existence même de Jésus : la résurrection apparaît comme la vérité de cette existence. S'il est Fils, ce n'est plus seulement du fait de son messianisme, de sa dignité de Fils de l'homme, mais par tout ce qu'il est. La notion de filiation s'enrichit de tout le comportement de Jésus pour devenir la clé de son mystère : il est Fils à Pâques ; il l'était dès son baptême : « aujourd'hui je t'ai engendré » ; il l'était de naissance ! La puissance de l'Esprit qui établit Jésus Fils de Dieu à Pâques, le constituait déjà Fils en son cheminement terrestre : il est né homme de cet Esprit, quand la puissance de Dieu lui a fait prendre corps en Marie. Sans hésitation, Luc utilise la symbolique pascale pour dire qui est Jésus dès l'origine de sa vie humaine, et Marc peut commencer son évangile en écrivant : commencement de l'Évangile touchant Jésus, Christ, Fils de Dieu. « Fils de Dieu » est devenu le titre qui désigne non seulement qui est Jésus pour les hommes (l'instaurateur du Règne comme Messie), mais qui est Jésus pour Dieu.

Le secret de Jésus et de ce qu'il est devenu pour les hommes, est dans sa relation à Dieu. Si, dans son existence, il est le messager de Dieu, s'il a la possibilité de faire de sa vie une Parole de Dieu pour tous les hommes, c'est parce qu'il est uni à Dieu de façon privilégiée, il est le Fils. Tout l'évangile de Jean est écrit à cette lumière : celui que nous contemplons, que nous touchons en Jésus de Nazareth (1 Jn 1, 1-2), celui qui en son existence d'homme révèle le vouloir de Dieu sur chaque homme, est le Fils. Il révèle Dieu parce qu'il « est dans le sein du Père » (Jn 1, 18), ce qui signifie, en langage biblique : il est lié à Dieu par un amour unique, celui du Fils qui se reçoit du Père.

Ce qui était dès le commencement

Si Jésus est Dieu « de naissance », il est Dieu de toute éternité. Pour exprimer cette origine, les théologiens parlent volontiers de préexistence. Il est bien nécessaire d'utiliser des mots humains pour dire ce qui échappe à la raison humaine, à condition, cependant, de percevoir le caractère fragile et radicalement inadéquat des expressions utilisées. Préexistence exprime une antériorité. Appliquée à Jésus, cette notion souligne que son origine n'est pas immanente à notre temps et à notre histoire ; mais elle peut conduire à imaginer cette antériorité dans l'ordre du temps, ce qui serait une erreur. Si le Christ est Dieu de toujours, son origine est irréductible à notre histoire, elle est d'un ordre autre que le temps. Dire « avant le temps », c'est encore se situer dans le temps.

Pour exprimer l'origine divine de Jésus, les auteurs du Nouveau Testament ont fait appel aux notions de leur théologie, c'est-à-dire de l'Ancien Testament. Chez Paul et Jean, en particulier — mais ils ne sont pas les seuls — la notion de sagesse a facilité l'expression de la transcendance de Jésus. Il est possible de comprendre ce qui a orienté leur choix.

Dans les épîtres de Paul, le Christ est d'abord appelé sagesse de Dieu parce que sa mort est l'expression déroutante de la volonté de Dieu (1 Co 1, 24). Ressuscité des morts, Jésus accomplit les promesses et se trouve investi d'une mission universelle. Or la notion de sagesse convient bien pour cela. Dans l'Ancien Testament, la sagesse est une personnification du dessein de Dieu à l'égard des hommes, de sa sollicitude pour tous. Bien plus, elle est souvent présentée comme quelqu'un en qui Dieu dépose toute sa puissance et sa tendresse pour en faire part aux hommes. Parmi beaucoup d'autres, citons un texte :

Le Seigneur m'a engendrée prémice de son activité,
prélude à ses œuvres anciennes.
J'ai été sacrée depuis toujours,
dès les origines, dès les premiers temps de la terre.
Quand les abîmes n'étaient pas, j'ai été enfantée,
quand n'étaient pas les sources profondes des eaux.
Avant que n'aient surgi les montagnes,
avant les collines, j'ai été enfantée,
alors qu'Il n'avait pas encore fait la terre
et les espaces ni l'ensemble des molécules du monde.
Quand Il affermit les cieux, moi, j'étais là,
quand Il grava un cercle face à l'abîme,
quand Il condensa les masses nuageuses en haut
et quand les sources de l'abîme montraient leur violence ;
quand Il assigna son décret à la mer
— et les eaux n'y contreviennent pas —,
quand Il traça les fondements de la terre.
Je fus maître d'œuvre à son côté,
objet de ses délices chaque jour,
jouant en sa présence en tout temps,
jouant dans son univers terrestre ;
et je trouve mes délices parmi les hommes.

Proverbes 8, 22-31

La foi au Christ trouve dans cette théologie de la sagesse un chemin tout préparé pour exprimer sa transcendance par rapport au monde et le caractère universel de son action à l'égard des hommes. De la proclamation pascale dans laquelle est affirmée la seigneurie du Christ sur toute la création, le regard de la foi est ainsi remonté aux origines. Si le Christ accomplit le dessein de Dieu sur la création, c'est qu'il est lui-même, en tant que Fils, à l'origine de toutes choses.

Un renversement complet se produit alors dans la contemplation du mystère. L'histoire de Jésus n'est plus seulement lue comme ce qui prépare la glorification de Pâques, elle apparaît comme la révélation du Dieu des origines. Si l'existence de Jésus « fait corps » avec l'accomplissement du vouloir de Dieu parmi les hommes, c'est que, de toute éternité, Jésus « fait corps » avec Dieu, comme le Fils « fait corps » avec le Père.

Paul et Jean ont exprimé le mystère, chacun selon son génie théologique propre. Relisons, sans autre commentaire, les deux hymnes dans lesquels est transcrit le grand dessein créateur et sauveur de Dieu :

En Colossiens 1, 11-20 :

Avec joie, rendez grâce au Père qui vous a permis d'avoir part à l'héritage des saints dans la lumière. Il nous a arrachés au pouvoir des ténèbres et nous a transférés dans le royaume du Fils de son amour ; en qui nous avons la délivrance, le pardon des péchés.

Il est l'image du Dieu invisible,
Premier-né de toute créature,
car en lui tout a été créé,
dans les cieux et sur la terre,
les êtres visibles comme les invisibles,
Trônes et Souverainetés, Autorités et Pouvoirs.
Tout est créé par lui et pour lui,
et il est, lui, par-devant tout ;
tout est maintenu en lui,
et il est, lui, la tête du corps, qui est l'Église.
Il est le commencement,
Premier-né d'entre les morts,
afin de tenir en tout, lui, le premier rang.
Car il a plu à Dieu
de faire habiter en lui toute la plénitude
et de tout réconcilier par lui et pour lui,
et sur la terre et dans les cieux,
ayant établi la paix par le sang de sa croix.

En Jean 1, 1-18 :

Au commencement était le Verbe,
et le Verbe était tourné vers Dieu,
et le Verbe était Dieu.
Il était au commencement tourné vers Dieu.
Tout fut par lui,
et rien de ce qui fut, ne fut sans lui.
En lui était la vie
et la vie était la lumière des hommes,
et la lumière brille dans les ténèbres,
et les ténèbres ne l'ont point comprise.
Il y eut un homme, envoyé de Dieu ; son nom était Jean.
Il vint en témoin, pour rendre témoignage à la lumière,
afin que tous croient par lui.
Il n'était pas la lumière,
mais il devait rendre témoignage à la lumière.
Le Verbe était la vraie lumière qui,
en venant dans le monde, illumine tout homme.
Il était dans le monde,
et le monde fut par lui,
et le monde ne l'a pas reconnu.
Il est venu dans son propre bien
et les siens ne l'ont pas accueilli.
Mais à ceux qui l'ont reçu, à ceux qui croient en son nom, il a donné le pouvoir de devenir enfants de Dieu. Ceux-là ne

sont pas nés du sang, ni d'un vouloir de chair ni d'un vouloir d'homme, mais de Dieu.
Et le Verbe fut chair
et il a habité parmi nous
et nous avons vu sa gloire,
cette gloire que, Fils unique plein de grâce et de vérité, il tient du Père.
Jean lui rend témoignage et proclame : « Voici celui dont j'ai dit : après moi vient un homme qui m'a devancé, parce que, avant moi, il était. »
De sa plénitude en effet tous nous avons reçu, et grâce sur grâce.
Si la Loi fut donnée par Moïse, la grâce et la vérité sont venues par Jésus Christ.
Personne n'a jamais vu Dieu ; le Fils unique, qui est dans le sein du Père, nous l'a révélé.

Avec de semblables textes, la foi pascale se déploie en symbolique trinitaire : la révélation de Dieu en Jésus de Nazareth a sa source dans le cœur même de Dieu, elle est déploiement en notre histoire de la communion qui est en Dieu et qui est Dieu même.

11

LA RÉVÉLATION DU MYSTÈRE DE DIEU

La plénitude de sens de la foi pascale met en lumière, en se déployant, la signification salvifique de la résurrection de Jésus et de l'ensemble de sa vie. Elle permet également de discerner qui est Jésus, porteur du dessein de Dieu dont le « règne arrive » par lui et en lui. Au bout de ce chemin qui conduit au cœur même de Dieu où le Christ a son origine comme Fils, s'ouvre aux disciples une autre perspective qui leur fait relire toute l'existence de Jésus comme une admirable parabole sur Dieu. C'est Dieu qui, en Jésus, se révèle. C'est Dieu qui dans ses gestes se montre un Dieu de miséricorde et de pardon. Comme aux jours terrestres de Jésus, voici qu'à nouveau le Christ s'efface pour laisser transparaître celui qu'il annonce : « Qui m'a vu a vu le Père » (Jn 14, 9). Dieu est cet homme, Jésus, le Crucifié livré aux mains des pécheurs et mourant comme un esclave.

Évoquons rapidement le renversement des idées sur Dieu qu'introduit la révélation chrétienne. Nous examinerons ensuite, sur un exemple, comment nous préférons, souvent, faire Dieu à notre image, plutôt que l'accueillir à partir de son image, Jésus de Nazareth.

Jésus, être-au-monde de Dieu

La révélation de Dieu en Jésus Christ impose une conversion de nos idées sur Dieu. Spontanément, pour comprendre Jésus, le Fils de Dieu, nous avons tendance à dire : « Je sais qui est Dieu : il est immuable, impassible, tout-puissant, omniscient. Si Jésus est Dieu, il doit lui aussi avoir ces qualités. » La révélation chrétienne oblige à retourner le raisonnement. Si Jésus est « l'image du Dieu invisible » (Col 1, 15) et la Parole en laquelle il se dit tout entier, c'est dans l'histoire de Jésus que je dois découvrir qui est Dieu : le donné évangélique doit résister à l'usure des discussions. C'est lui qui manifeste ce que signifie pour Dieu être Père, ce que signifie pour Dieu être Fils en face du Père. C'est lui qui dit ce qu'il en est des attributs de Dieu. Dieu est tout-puissant ? Oui, il est créateur, l'origine de toutes choses, mais la toute-puissance de Dieu est avant tout celle de l'amour : Dieu créé pour faire alliance. Dans la vie de Jésus, cette toute-puissance de l'amour s'exprime dans une vie qui va jusqu'à l'extrême et meurt par fidélité au chemin évangélique qu'il a tracé.

En Jésus, la toute-puissance se manifeste, non dans la domination attendue du Messie, mais dans le service. Jésus révèle la puissance du créateur dans le respect de la liberté de l'autre et en suscitant cette liberté. Quand l'homme refuse cette offre, Dieu peut pardonner, mais il ne veut pas contraindre : Jésus aime l'homme riche mais ne le force pas à le suivre (Mc 10, 21-22). La toute-puissance de Dieu n'est pas la puissance miraculeuse qui aliène l'homme en le séduisant par le merveilleux. En Jésus, elle se manifeste quand il s'agit du respect de Dieu et de l'homme, quand il s'agit de rendre à une femme perdue une vie nouvelle parce que Jésus prend sur lui le risque d'encourir la mort que les hommes veulent lui infliger (Jn 8).

Car Dieu peut être sujet de la mort. L'immutabilité et l'impassibilité que nous voudrions attribuer à Dieu doit s'accommoder du Dieu de Jésus Christ qui se met en quête du pécheur, qui rencontre la haine, d'un Dieu capable de souffrir non seulement parce qu'il s'émeut, mais parce qu'il accepte d'être livré aux pécheurs, d'être voué à la suprême impuissance de la mort.

« Dieu, nul ne l'a vu ; celui qui est dans le sein du Père l'a révélé. » Jésus est comme le « corps de Dieu », « le visage humain de Dieu ». Si nous cherchons la personne au-delà de son visage et de son corps, nous ne la trouvons pas ; elle est ce visage, elle est ce corps. Mais ce visage et ce corps ne sont pas le tout de la personne, ils lui donnent accès, car le corps de la personne est son « être-au-monde ». Ainsi de Jésus : révélation de Dieu, il est l'être-au-monde de Dieu, Dieu-avec-nous. En rencontrant Jésus ressuscité, Thomas s'exclame : « Mon Seigneur et mon Dieu ! » Si je veux comprendre l'agir de Dieu, je dois lire et relire, ou plutôt vivre et revivre l'Évangile qu'est la vie de Jésus. Dans son existence, point de merveilleux, mais une liberté, un amour, une existence singulière, située dans un tissu social et dans des conflits concrets, une existence qui trace un chemin où l'Amour et la Foi sont plus forts que la mort parce qu'ils ne se laissent pas arrêter par la mort.

Le Père et le Fils

Jésus est Dieu, il est la Parole qui livre la signification de Dieu en un langage d'homme, et tout à la fois il révèle un Autre. L'être-au-monde de Dieu en Jésus Christ manifeste que Dieu est Père en face d'un Fils. Expression humaine de Dieu, Jésus est Dieu se situant en face de Dieu comme un Fils. Toute son existence est une transcription humaine de l'amour de Dieu pour l'homme, elle est aussi une transcription humaine de l'amour du Fils pour le Père.

Jésus a dit que le commandement de l'amour du prochain était semblable au commandement de l'amour de Dieu. Cet enseignement se vérifie dans sa propre personne. Il est, lui, la loi nouvelle ; sa vie est l'expression même du cœur de Dieu qui est Amour ; en lui, à la racine de son être personnel, il y a identification entre l'amour de Dieu et l'amour de l'homme, entre la révélation du cœur de Dieu qui est Père et de la destinée de l'homme, appelé à partager la vie de Jésus et, par le fait même, à partager la communion du Père et du Fils.

Dans cette perspective, la mort de Jésus est l'expression la plus haute de cette vie. Dans l'abandon, Jésus n'a plus rien à recevoir de Dieu, puisque la vie le quitte, il n'a plus à recevoir de Dieu que Dieu même ; et c'est ce Dieu qu'il invoque. La nourriture du Fils est de faire la volonté du Père: il n'est totalement lui-même, c'est-à-dire Fils, que par l'acceptation de l'autre, son Père, cet autre dont il éprouve sur la croix la radicale différence dans l'épreuve de l'abandon. Sur la croix et dans toute la vie de Jésus, l'histoire éternelle de Dieu Père et Fils s'est transcrite sous le mode de l'obéissance. Parce que le Père est sa vie, le Fils se donne à lui totalement dans le moment même où il expose totalement sa vie aux hommes. Cette perte de sa vie pour autrui, ce renoncement à lui-même — qui perd sa vie, la gagne —, est l'expression de l'être même de Jésus qui n'attend rien d'autre de Dieu, sur la croix, que l'accueil que son Père lui fera de lui-même : il se remet entre ses mains. Dieu a envoyé son Fils ; quand vint la plénitude du temps, l'union éternelle du Père et du Fils a pris sur une croix la forme de l'amour (Mc 8, 35 ; Lc 22, 42 ; 23, 46...).

Le christianisme occidental a beaucoup de mal à effectuer l'approche du mystère de Dieu à partir de Jésus. Très vite, il a perdu le contact avec les sources vives de la révélation, dans l'explicitation du mystère. Pourtant, après des siècles de recherches, les Conciles ont exprimé la réalité de l'engagement de Dieu en notre humanité, en confessant que Jésus est vrai

Dieu et vrai homme, homme authentique, « consubtantiel à nous en toutes choses à l'exception du péché » (Concile de Chalcédoine, 451 ; cf. He 4, 15). Mais la tendance de l'Occident chrétien fut toujours d'atténuer ce réalisme, en préférant se référer non à la révélation humaine de Dieu mais à l'idée « humaine » que l'homme se fait de Dieu. Un seul exemple permettra de saisir cette tendance : la façon dont les chrétiens réagissent à la symptomatique question de la conscience du Christ montre que l'authenticité de l'engagement de Dieu dans l'histoire est constamment remise en question.

Dieu devenu un homme authentique, jusqu'au fond de l'âme

Quand on explicite l'authenticité humaine de Jésus, Fils de Dieu, en lui attribuant, comme à tout homme, une volonté limitée, et une connaissance de soi et des autres liée à l'expérience, nombreux sont les chrétiens qui éprouvent un malaise. Que Jésus soit fatigué, soit ! Mais que son esprit ait des limites, non ! On surprend ici la force du théisme qui, à partir d'une idée *a priori* de Dieu, reconstruit un Christ échappant aux contingences de notre condition.

Pour traiter ce problème et identifier cette réaction des chrétiens, commençons par recourir à la tradition de l'Église afin de voir comment s'est posée la question de la conscience humaine de Jésus. Nous reviendrons ensuite sur le donné scripturaire.

Ne nous étonnons pas d'avoir du mal à accepter que Dieu soit véritablement devenu un homme en Jésus. Dans les temps anciens déjà, les chrétiens ont rencontré semblable difficulté. Au IVe s. par exemple, il semblait impossible à certains que le Christ ait eu une âme humaine, il leur paraissait que le Verbe de Dieu pouvait suffire à en assumer la fonction. Le concile de Chalcédoine a réagi vivement en proclamant le caractère authentique de l'humanité de Jésus, corps et âme. Quand nous concentrons l'humanité du Christ dans son corps (il a été fatigué, etc.) et quand nous refusons d'admettre des limites à son savoir ou à son vouloir, nous cédons à la même tentation que nos frères du IVe siècle.

Cette tendance à minimiser à l'extrême la réalité humaine du Christ a été accentuée, il faut le dire, par les élaborations théologiques du Moyen Age qui ont laissé des traces profondes dans les mentalités et les anciens catéchismes. De grands théologiens — S. Thomas, notamment — attribuaient au Christ non seulement une connaissance humaine ordinaire semblable à la nôtre, mais encore une connaissance parfaite de toutes choses et même, dès ici-bas, la connaissance bienheureuse de Dieu réservée aux élus. Pour défendre leur position, ils mettaient en avant deux types d'arguments. Si nous les mentionnons, ce n'est pas par souci d'érudition, mais parce que la déformation de la foi est tenace : la discussion des arguments nous aidera à démêler cette question brûlante, en fidélité à la tradition théologique.

Une première série d'arguments est tirée de la mission de Jésus. Si Jésus donne le salut, il doit lui-même vivre pleinement de ce salut. Or le salut, disent nos théologiens, consiste à voir Dieu ; il convient donc que le Christ homme ait eu la vision de Dieu dès son existence terrestre. L'argument est d'une grande profondeur, et nous le garderons ; mais nous ne serons pas obligés de parvenir à la même conclusion. Les recherches exégétiques et l'apport de la réflexion théologique permettent de comprendre aujourd'hui que c'est à travers une épaisseur humaine et un cheminement que Jésus a obtenu le salut. Sa condition était en effet celle du Serviteur, et « il n'a pas considéré comme une proie à saisir d'être l'égal de Dieu » (Ph 2, 6). Jésus donne le salut, et ce salut peut fort bien être exprimé comme union à Dieu, mais au terme d'un chemin. Quand il est sur la croix, quand il exprime jusqu'à l'extrême son amour pour les hommes et pour le Père, alors seulement il dit : « Tout est accompli. » Dans ces conditions, l'argument tiré de la mission du Christ n'exige pas qu'il ait joui, dès sa vie terrestre, de la vision bienheureuse : le retour vers le Père a lieu au-delà de sa mort. En Jésus, Dieu n'a pas biaisé avec la condition humaine, il l'a assumée pleinement pour que le salut l'imprègne entièrement ; certains Pères de l'Église l'ont enseigné avec force.

Une autre argumentation est tirée de l'union en Jésus de l'humanité et de la divinité. Pour permettre cette union, on pensait que la nature humaine du Christ devait être parfaite. On n'admettait donc pas d'ignorance en lui, d'où la nécessité de le doter de connaissances surnaturelles. Pour répondre à ces arguments, notons d'abord que la perfection du Christ n'est pas de l'ordre de la nature mais de la sainteté : « il est semblable à nous en toutes choses, sauf le péché » (He 4, 15). Au demeurant, que signifie la « perfection » pour une réalité créée ? Il ne convient pas de confondre perfection et authenticité. Par la foi nous croyons à l'authenticité de l'humanité de Jésus. Il s'ensuit que selon les époques et les cultures, le même donné de foi (Jésus est un homme véritable, un homme authentique) pourra recouvrir des contenus différents. Pour les théologiens du Moyen Age, cette authenticité, exprimée en termes de perfection, exigeait qu'il n'y eût dans le Christ aucune ignorance. Aujourd'hui nous ne pouvons pas les suivre sur ce point car, pour nous, l'authenticité de la connaissance humaine se manifeste en un savoir qui s'élabore peu à peu, au fil de l'expérience et des relations, dans une culture donnée. Pour nous, l'homme inauthentique serait celui qui, de naissance, disposerait d'un savoir universel. Le fait d'ignorer n'est plus perçu comme une imperfection, mais comme un donné de notre condition humaine, marquée par le devenir et s'inscrivant dans l'espace et le temps.

On le voit, l'expression actuelle de la foi n'exige pas de nous — bien au contraire — la représentation d'un Jésus omniscient. Au reste, l'Écriture s'oppose à de telles spéculations.

Dieu a dit JE en Jésus-Christ

Quand on se réfère aux traditions évangéliques qui ont le plus de chances de nous faire rejoindre ce qu'a pu vivre Jésus — cette approche demande une grande discrétion ! — nous parvenons à deux certitudes. La première est que Jésus a véritablement ignoré, et cette ignorance n'est pas anodine, elle concerne l'aboutissement même de sa mission, à savoir « l'heure » de la venue du Règne et du Jugement (Mt 24, 36). Quand on sait la tendance des traditions évangéliques à atténuer certaines limites de Jésus, pour dire le divin en même temps que l'humain, on ne peut qu'accorder foi aux affirmations avouant l'ignorance de Jésus. Le texte de Matthieu met bien en évidence ce paradoxe, dans la mesure où cette ignorance y est explicitement reconnue comme étant celle du Fils. Ce n'est pas en édulcorant l'authenticité humaine de Jésus que sera respecté son mystère. Le scandale de l'abaissement de Dieu et de la mort de Jésus en croix porte sans doute atteinte à nos idées toutes faites sur Dieu ; mais il nous révèle aussi une autre sagesse, celle de l'Amour incroyable de Dieu (cf. 1 Co 1, 18-31 ; He 2, 14-17 ; 12, 1-8 ; etc.). Jésus est un homme véritable, il a voulu réaliser le grand projet de son Père, il a avoué ne pas pouvoir faire certains miracles (Mc 6, 5), ne pas avoir pu rassembler les enfants d'Israël à Jérusalem (Mt 23, 37). Malgré l'échec et dans l'échec, il est resté fidèle à la Parole reçue.

Les évangiles conduisent à une deuxième certitude : l'étonnante assurance de Jésus. S'il y a eu des ignorances dans la vie de Jésus, s'il a découvert son chemin à l'écoute de la Parole et des événements (étonnement de Jésus devant le centurion et la cananéenne de la région de Tyr et Sidon, Mt 8 et 15) — cela pouvant aller jusqu'au déchirement comme à l'agonie — il est certain que les évangiles présentent un Jésus parlant avec une autorité telle, qu'elle a scandalisé ses contemporains. Nous avons déjà longuement insisté sur cet aspect. Jésus n'a donc pas tout su ; il a été livré au devenir comme tout homme, il a eu une liberté humaine ; comme la nôtre sa vie a été une naissance au sein d'une relation à soi, aux autres, à Dieu. Et en même temps, son autorité, sa liberté sont telles qu'elles posent cette question : quel est cet homme ? d'où est-il ? Ses prétentions sont telles qu'elles expriment une volonté de se tenir à la place de Dieu, de parler en son Nom. Ces deux aspects si constrastés doivent être tenus ensemble.

A partir des donnés qui viennent d'être exposés, peut-on dire si Jésus a su qu'il était Fils de Dieu ? C'est souvent en ces termes que la question est posée. Pourtant sa formulation est malheureuse, car elle prétend assimiler un donné de conscience, à un objet de savoir. Si l'on nous demandait d'exprimer la conscience que nous avons de nous-mêmes, que ferions-nous ? Nous évoquerions sans doute certaines expériences et certains événements de notre existence ; nous réfléchirions sur la façon dont nous avons réagi en telles et telles circonstances, nous analyserions des attitudes, des comportements, éventuellement des écrits, etc. Pourtant, au terme de cette recherche, nous serions embarrassés et constaterions que ce que nous sommes en vérité est plus profond, plus mystérieux que tout ce que nous pourrions exprimer en données objectives et en termes de savoir. C'est que notre moi, notre je, se trouve toujours à l'arrière-plan de ce que nous faisons, de ce que nous disons. Notre moi est le sujet ultime qui porte notre activité et notre expérience, mais il ne nous sera jamais possible de le saisir à l'état pur, d'en avoir une connaissance claire et distincte.

Il en est de même pour Jésus. Parce qu'il est une personne divine, quand il dit « Je », c'est vraiment un je divin qui s'exprime. Mais parce que ce je divin s'est incarné authentiquement dans une existence humaine, il n'échappe pas aux conditionnements humains de la connaissance et du vouloir, avec leur possibilité de développement, d'obscurité aussi. Quand Luc écrit que l'enfant Jésus « grandit et se fortifie » (Lc 2, 40), de quel droit voudrions-nous limiter cette croissance à celle de son corps ?

Avant Pâques, l'extraordinaire liberté et l'autorité de Jésus pouvaient être interprétées en termes uniquement humains.

C'est bien ainsi que firent ses adversaires qui crièrent au blasphème. A la lumière de Pâques, ces prétentions apparaissent comme le secret de sa personne. Le mystère de ce je, qui porte cette existence humaine dans la fidélité à la Parole et dans l'obscurité des événements, se manifeste alors au regard de la foi : le visage de Jésus révèle la Face du Seigneur.

La question de la conscience du Christ est symptomatique de la difficulté qu'a la foi à s'engager pour Jésus. La quête de preuves historiques, qu'il s'agisse de l'authenticité des paroles de Jésus, de sa résurrection, ou de la présence de sa divinité sous la forme d'un moi divin apparent, paraît dispenser de nous décider à croire. Nous croyons, non en nous appuyant sur des preuves, mais par une décision. Celle-ci peut s'aider de signes, mais qui dit signes, dit interprétations, et ces interprétations ne sont pas évidentes : elles renvoient à une décision. Jésus n'a pas dit qu'il était le Fils de Dieu. Cela ne signifie pas qu'il ignorait qui il était, cela correspond à une attitude constante qui se retrouve au long de l'évangile. Ce n'est pas sur un savoir ou sur des définitions que nous avons à nous prononcer dans la foi, c'est par rapport à quelqu'un. C'est à son égard, à l'égard de ce qu'il a dit, de ce qu'il a fait et vécu, que Jésus demande une prise de position. La foi des chrétiens d'aujourd'hui est sollicitée de la même façon que celle de ceux qui voyaient Jésus de leurs yeux. Dieu se manifeste dans un homme authentique pour nous rejoindre sur nos chemins humains, afin que notre « croire » soit lui aussi enraciné dans notre humanité : offert à notre liberté, à notre décision. Dieu désire être recueilli et reconnu par des hommes authentiquement hommes.

Christ est ressuscité. Dieu a répondu au cri du Crucifié, passé de ce monde à son Père, inaugurant en sa personne le Règne de Dieu, ouvrant définitivement l'humanité à la plénitude de la vie divine.

Toutes les espérances d'Israël s'illuminent d'une lumière nouvelle : le destin de Jésus, reconnu comme Christ, accomplit les promesses de l'ancienne Alliance. Avec lui ressuscite dans la mémoire de ses disciples tout ce qu'ils avaient vécu en sa compagnie : leurs espoirs morts renaissent. L'étonnant message du prophète galiléen, qui s'était inscrit dans des paroles, des gestes et des faits déroutants — et pour beaucoup subversifs — reçoit de Dieu une ratification éclatante au regard de la foi.

Ainsi s'est ouvert un chemin pour ces « cœurs lents à croire » (Lc 24, 25), qui les conduisit à reconnaître en Jésus non seulement le Prophète, le Messie promis, mais aussi le Seigneur, le Verbe qui est « le Fils » introduisant à la connaissance de Dieu reconnu comme son Père et notre Père.

Nous avons jalonné cet itinéraire en tenant compte au maximum de la situation diverse des écrits du Nouveau Testament. L'exposé a décrit une certaine logique qui tient pour partie de donnés textuels nettement repérables, pour partie, sans aucun doute, de l'auteur en quête des sources de sa foi reçue de l'Église. De ce point de vue, le déploiement de la foi en Jésus ressuscité a pu apparaître comme une progression intellectuelle, selon laquelle les communautés auraient été peu à peu conduites à tirer certaines conclusions, puis à aller plus avant afin de résoudre des questions nouvelles. On serait ainsi en présence de certains enchaînements d'idées, du type : si Christ est ressuscité, le Royaume est là ; si le Royaume est là, le salut est offert à tous ; si grâce à Jésus le salut est offert à tous, c'est qu'il a partie liée avec Dieu, etc. Cette sorte de raisonnement déductif n'est pas absent de la première réflexion chrétienne ; l'étude des écrits de Paul en fournit de nombreux exemples. Mais, en réalité, ces découvertes sont inséparables du cheminement d'une expérience.

La vie renouvelée du groupe de Jésus, mettant en œuvre ce

qu'il a vécu, et portant son message jusqu'aux extrémités de la terre, est le lieu où se déploie la révélation pascale. Ce que les communautés proclament dans des confessions de foi de plus en plus élaborées, s'inscrit aussi et se vérifie dans leur cheminement. S'il n'est pas possible de dire avec précision le moment ni le comment de la révélation de la résurrection du Christ, il est néanmoins certain que les disciples ont attribué le bouleversement de leur vie à un don, à une grâce de Dieu. Ce qui jaillit parmi eux n'est pas le fruit de leur vouloir, mais l'œuvre du Ressuscité qui les re-suscite de la dispersion, de la peur, de la désespérance.

Ces communautés qui naissent à la foi sont l'origine historiquement vérifiable du fait chrétien. La foi de nos Églises repose sur la leur. Les premiers disciples ont découvert l'exaltation du Christ dans la transformation de leur vie devenue mémoire vivante de l'itinéraire de Jésus. La nouvelle s'est propagée grâce à des vies devenues chrétiennes parce qu'elles portaient la Parole et la « vérifiaient », c'est-à-dire la faisaient vraie. Ce donné originel vaut pour les disciples de tous les temps : ils ne peuvent plus suivre Jésus sur les routes de la Galilée palestinienne, mais ils peuvent, comme leurs premiers frères, découvrir qui est Jésus en reprenant à leur compte son itinéraire, dans leur Galilée quotidienne.

« Christ est mort pour nos péchés. » Il est « le Fils du Dieu vivant », le « Sauveur du monde ». Ces confessions de foi ont fleuri au long d'un chemin, au cœur d'une pratique évangélique. Quel est, pour le chrétien, aujourd'hui, le lieu de sa confession de foi ? Quelle expérience est encore possible, et au sein de quelle pratique ? L'itinéraire des disciples peut-il nous aider à faire nôtre l'itinéraire de Jésus ?

Ces questions seront au cœur de notre recherche, au long de la dernière étape de notre parcours : l'itinéraire des chrétiens.

TROISIÈME PARTIE

L'ITINÉRAIRE DES CHRÉTIENS

Que peut être, pour un chrétien d'aujourd'hui, citoyen de la vieille Europe, héritière de la chrétienté et de la révolution française, la signification de la confession de foi concernant Jésus, Christ et Sauveur, Fils du Dieu vivant ? Durant les premières générations chrétiennes, cette confession de foi s'est élaborée autour de trois pôles : *une expérience* de vie communautaire et missionnaire, *une espérance* fondée sur les promesses que Dieu fit à un peuple, *une référence* privilégiée à l'histoire de Jésus. Une telle structure fait nécessairement question : sur quel terrain peut naître notre propre confession de foi en Jésus ressuscité ? Que sont devenus les éléments essentiels de la foi de nos Pères ?

Aujourd'hui comme hier, la foi ne peut être disjointe d'une expérience chrétienne. Aujourd'hui comme hier, Dieu ne se trouve pas dans des définitions — fussent-elles dogmatiques —, mais dans une vie qui est mémoire vivante de Jésus Christ, qui est en quête, attente. Pourtant, nous le pressentons, l'attente du Messie d'Israël ne peut, sans plus, être considérée comme notre attente. Pour les disciples, Jésus a pris sens au creux d'une espérance précise, religieusement et culturellement située ; il s'est inscrit au sein d'une foi en Dieu qui était le fait de tous les enfants d'Israël. Qu'en est-il de nous ? N'avons-nous pas surtout conscience de vivre dans un monde et à une époque où la foi en Dieu ne peut plus être considérée comme un présupposé culturel ?

A y réfléchir, cependant, nous percevons qu'un premier élément essentiel à la révélation chrétienne ne nous fait pas totalement défaut. Qui dira aujourd'hui, en effet, qu'il n'y a pas chez les hommes une quête, une attente, une certaine ouverture sur « autre chose » ? Toute société, toute culture a, d'une façon ou d'une autre, son Ancien Testament ; même la nôtre qui a décrété la mort de Dieu. Rechercher le lieu où, aujourd'hui, peut se dévoiler la révélation de Dieu en Jésus Christ, ce sera tenter de préciser où se situe notre attente, comment s'expriment nos espérances.

Qu'en est-il à présent de la référence à Jésus de Nazareth qui, elle aussi, fut déterminante ? Sur ce point, il faut bien le reconnaître, les disciples ont fait une expérience unique qui ne sera pas renouvelée : ils ont pu reconnaître le Ressuscité, parce qu'ils avaient auparavant suivi ses traces sur les routes de Palestine. Leur expérience et leur témoignage sont uniques. Notre foi ne peut que se référer à la leur.

Que dire enfin du troisième élément : la rencontre du Ressuscité ? Les premiers témoins ont vu le Seigneur ; ils ont cru en ayant vu et reconnu. Pourtant il y a des points de rapprochements possibles entre ce qu'ils ont vécu et ce qui nous est proposé. Notre foi ne repose pas sur des preuves mais sur la *foi* des Apôtres. Ceci est fondamental. Comme nous, ils ont été appelés à répondre librement à l'offre que leur fit Dieu en Jésus Christ. Comme nous, ils ont été appelés à adhérer à quelqu'un auquel ils ont fait radicalement confiance et pour lequel ils ont converti leur mentalité, leur vie. En ce sens, il existe une parenté profonde entre la conversion des disciples qui avaient abandonné Jésus, celle de Paul le persécuteur devenant zélateur de la foi nouvelle, et celle des disciples que nous sommes, appelés à changer leur vie pour suivre Jésus, reconnu dans la foi des témoins qui font corps avec lui et défendent sa cause.

Si nous voulons saisir la signification de la confession de foi au Christ, il est donc important de montrer en quoi elle vient sceller notre attente d'homme, en quoi elle est une décision qui fait vivre, non dans le monde des apôtres, artificiellement et imaginairement reconstitué, mais dans le monde actuel, apparemment marqué par l'effacement de Dieu dans la conscience collective. Tel est l'objet de la recherche des pages qui suivent.

Trois étapes constitueront notre itinéraire. La première caractérisera ce que peut être — ou ne pas être — l'attente d'un homme qui, aujourd'hui, espère ou, pour employer un mot devenu traditionnel dans le langage chrétien, attend un salut. Puis nous examinerons comment la vie et le message de Jésus Christ se situent par rapport à cette espérance. Ceci conduira à considérer, enfin, comment l'homme accueille cette révélation, et ce qu'elle peut faire de lui.

Faut-il le rappeler ? Ici plus qu'ailleurs, on sera attentif au caractère « régional » de ces réflexions. Elles sont nettement situées, marquées par une culture et une histoire qui sont celles de l'Europe occidentale. Quoi qu'il en soit de certaines emphases, elles n'ont aucune prétention à l'universalité. Le « notre » inscrit dans le titre du livre entend bien souligner la portée de ces pages : elles ont comme espace la relation de dialogue qui s'établit entre l'auteur et ses lecteurs, considérés, dès le départ, comme des chrétiens.

12

A L'ÉCOUTE DE L'ESPÉRANCE HUMAINE

Au cours de l'itinéraire pascal des disciples, Jésus est reconnu comme celui qui a « tout accompli » : par lui, Dieu s'est fait proche de son peuple, il est celui en qui se nouent toutes les Écritures. Au creux de quels questionnements et de quelles attentes peut résonner aujourd'hui la bonne nouvelle de Jésus Christ ? Quelle conversion requiert-elle pour que soit reconnu ce qui jadis fut perçu comme un scandale pour les Juifs et une folie pour les esprits grecs ?

Pour répondre à ces questions, il nous faut d'abord, au long de ce chapitre, prendre une certaine distance à l'égard du langage du Nouveau Testament. Les premiers chrétiens, comme c'était normal, ont fait appel, pour exprimer leur foi, à leur culture, à leur conception de Dieu et du monde. Cette culture n'est plus la nôtre, notre représentation de l'univers est autre, comme est différente par conséquent notre façon de poser la question de Dieu. Il est donc important, à ce moment de notre démarche, de ne pas nous cacher les difficultés que pose aujourd'hui le langage habituel de notre foi, notamment quand il parle du salut.

Salut, un mot d'un autre temps ?

Peut--on encore parler de salut aujourd'hui, sans risquer d'être mal compris ? Ce terme suppose, en effet, que l'homme vit une situation dramatique dont il ne peut se sortir par lui-même. Parler de salut éternel, par exemple, n'est-ce pas concevoir l'humanité comme étant prisonnière d'un destin dont elle n'a pas les clés ? N'est-ce pas l'enfermer dans une fatalité dont Dieu seul peut la sortir ? Mais alors, quel est ce Dieu qui crée une humanité ne pouvant faire face d'elle-même à sa situation ? Au nom de ceux qui refusent un Dieu aliénant qui les maintiendrait dans un état de dépendance infantile, ne doit-on pas récuser le vocabulaire du salut ?

Pourtant, qui niera que l'humanité est en attente ? Pouvons-nous douter que l'homme ait besoin d'être sauvé, que ce soit par Dieu ou par d'autres, sous l'horizon de cette vie ou dans une autre ?

Pour le comprendre, évoquons seulement une des images qui peuvent s'offrir à nos yeux quand nous pénétrons dans l'un des sanctuaires de notre société consommatrice, les magasins « à grande surface ». Que perçoit notre regard ? Une surabondance de biens les plus divers, les plus raffinés et souvent les moins nécessaires, destinés à satisfaire la faim (du consommateur et de ceux qui promeuvent de telles entreprises). Ne sommes-nous pas aliénés par cette faim ? Ne sommes-nous pas de ces êtres sans racines, cherchant à combler par la consommation des biens et des loisirs un terrible vide de l'âme ? Comment ne pas retirer de cette vision l'impression que notre civilisation occidentale est devenue prisonnière du progrès, ligotée par le profit et l'argent, aliénée par ses marchandises ? Comment, dans le même temps, ne pas penser — pour peu qu'on veuille se tenir informé —, à l'injure et à l'exploitation que représentent un tel étalage et une telle débauche pour les plus affamés, en voie d'appauvrissement du fait même de notre abondance ? Ce n'est pas le lieu d'entrer plus avant dans ce type d'analyse ou de faire état de statistiques ; il n'est plus possible cependant de parler de salut sans prendre en considération la réalité de notre monde planétaire. Le mot « salut », un mot d'un autre temps ? Les peuples asservis par leur avoir ne sont-ils pas en train de perdre leur être ? Et que dire des peuples atteints dans leur intégrité, parce qu'ils sont voués quotidiennement à la mort, semée par la privation, causée et entretenue par une autre partie du monde ? Eux aussi ont besoin d'un salut, et ce terme prend alors une signification extrêmement concrète qui se confond, à juste titre, avec le vocabulaire de la libération.

Dans ces circonstances, il est vrai, certains discours sur le salut sont intolérables. Il s'agit d'abord des présentations du salut qui n'envisagent pas tout l'homme, mais uniquement son esprit, son âme (« je n'ai qu'une âme, qu'il faut sauver », faisait-on chanter jadis aux chrétiens). Un tel langage est inadmissible. En effet, sauver quelqu'un c'est commencer de lui permettre d'exister, de vivre et de satisfaire ses besoins les plus élémentaires (alimentaires !). Jésus a inscrit le salut dans les corps en guérissant les malades, et il a nourri les foules. Le salut concerne l'homme tout entier : l'être repu qui peut cacher une terrible misère du cœur, l'être affamé de pain et de justice, l'oppresseur et l'opprimé.

On le voit, l'attention aux réalités concrètes interdit à tout discours religieux sur le salut de ne pas considérer les réelles détresses qui menacent la vie de millions d'hommes. Si vraiment Christ est Sauveur des hommes, une réflexion sur l'actualité du salut ne peut éviter de situer ces réalités — à défaut de les embrasser — ou alors elle se disqualifie parce qu'elle risque de ne brasser que du vent.

Ainsi se précisent, peu à peu, les conditions d'une réflexion sur le salut. Introduire la perspective d'un salut venant de Dieu suppose que soient effectuées des élucidations : affirmer que Dieu sauve, ou que seul Dieu peut sauver les hommes, n'est-ce pas proposer une image tronquée et de Dieu et de l'homme ? Image tronquée de l'homme, dans la mesure où il pourra être perçu comme un être incapable de se tenir debout tout seul et de résoudre ses propres problèmes. Image tronquée de Dieu, s'il est présenté comme un créateur incapable de donner naissance à l'humanité sans avoir à l'aider pour rétablir une situation compromise. Dieu devrait-il s'y prendre à deux fois pour faire une humanité ?

Comment harmoniser entre eux le discours chrétien sur le salut conféré dans la personne du Ressuscité par le Père, et le langage des espoirs humains ? Y aurait-il dans le salut une part de Dieu et une part de l'homme ? Ou Dieu ne serait-il qu'un être *utile* au salut de l'homme ? Mais un Dieu utile, voire utilitaire, est-il vraiment un Dieu souverainement libre et digne d'amour ? Et si Dieu est perçu comme utile, l'homme n'est-il pas ravalé au niveau d'une créature vouée à l'impuissance et contrainte de marchander avec Dieu son salut, son espérance de vie ?

Par ailleurs, une réflexion sur le salut ne peut véhiculer n'importe quelle représentation de Dieu et du monde. Si le véritable salut est présenté comme un au-delà du monde, n'est-on pas amené à dénier toute valeur à l'histoire des hommes, et, par suite, aux hommes qui font l'histoire ? Si, en revanche, on présente comme un chemin de salut la nécessaire transformation de l'univers et des relations entre les peuples, ne risque-t-on pas d'oublier la part de Dieu, son offre, et la dimension spirituelle de l'homme ? L'ensemble de ces questions, qui reflètent les exigences de notre culture, souvent inscrites dans les interrogations posées à la foi par les incroyants, montre qu'une présentation de la foi en Jésus Christ, bonne nouvelle de salut, doit avoir une certaine rigueur pour être reçue aujourd'hui.

L'homme en quête de salut[1]

La notion française de salut évoque une délivrance, une libération. Elle comporte un aspect négatif, en désignant une situation que l'on quitte, considérée généralement comme désespérée ; ainsi du malade « sauvé » par un médecin. Dans ce contexte, se poser la question du salut, c'est se demander *de quoi* l'on a besoin d'être sauvé. Mais le salut a aussi un aspect positif, à savoir la situation nouvelle à laquelle on accède, *ce pour quoi* l'on est sauvé. Cette signification, moins évidente en français, se trouve aux origines du mot latin *salus,* lui-même dérivé d'une racine indo-européenne, désignant « ce qui a l'intégrité de l'être » et qu'on retrouve en grec *(holos)* et en allemand *(heil).* L'idée de salut comporte donc l'idée d'intégrité, d'identité totale. En ce sens, être sauvé, ce n'est pas seulement échapper à la mort, mais accéder à la vie, à la vie véritable à laquelle on aspire pour être « totalement » soi-même. A s'en tenir au vocabulaire, un salut serait donc le passage d'une situation où le sujet s'éprouve comme un « être de manque », privé de ce qu'il s'estime être en droit de posséder pour être lui-même, à une situation où il entre dans la totalité de son être, où il est comblé.

Mais cette quête d'un salut qui mène à la plénitude n'est-elle pas une illusion ? « Aspirer à la totalité de son être », n'est-ce pas un rêve ? De fait, quand on étudie le langage spontané du bonheur, on se rend compte que le salut y apparaît comme l'accès à un monde d'où sont exclues toutes les difficultés et toutes les contradictions de la condition humaine. Pour l'homme, être sauvé, ce sera devenir totalement soi, c'est-à-dire être délivré de ce qui, en lui et dans le monde, est obscurité, non-sens, errance, — en accédant à la lumière, à la transparence, au sens. Qui n'a rêvé d'être totalement transparent à soi-même et aux autres, d'un monde où toute énigme aurait disparu ! N'avons-nous pas souvent projeté en Jésus cet homme rêvé en refusant d'accepter qu'il ait pu chercher son propre chemin ?

Une autre façon d'imaginer le salut consiste à se le représenter sous la forme d'une parfaite harmonisation sociale : l'humanité à jamais fraternelle, dont la cohérence exclut toute division. Les représentations eschatologiques de la Bible font appel à ce grand rêve de l'homme aspirant à voir disparaître en lui et autour de lui tout facteur de division et d'opposition.

---

1. Les idées de ce paragraphe sont développées par J. Le Du dans « Qu'est-il permis à l'homme d'espérer ? », contribution à l'ouvrage collectif *Dire le salut, sauver le langage,* Chalet, 1974, p. 7-57.

Pour lui, être sauvé, c'est aussi quitter la solitude et l'isolement d'une situation où les liens humains sont brisés et les êtres séparés, pour entrer dans un monde de la communion et de la communauté sans faille, où l'on ne sera plus jamais seul ou séparé de ceux qu'on aime, « un royaume où toute larme sera essuyée » (Is 25. 8 ; Ap 7, 17 ; 21, 4).

A travers ces langages spontanés, transparaît, on s'en sera rendu compte, non pas l'homme réel, mais l'homme tel qu'il se rêve, un homme non pas en creux, mais en plein, qui se désire être-achevé, être-de-plénitude, « homme du septième jour », parvenu au repos dans une parfaite coïncidence avec lui-même. Mais cet homme n'existe pas, et l'on peut à bon droit soupçonner les doctrines du salut qui répondraient trop exactement à ces désirs. Elles sont moins révélations de Dieu faites à l'homme, que manifestations des rêves d'un homme désireux de devenir ce qu'il imagine être Dieu.

Existe-t-il un salut digne de l'homme, qui ne soit pas illusion, ni fuite de la condition humaine ? Qu'est-il permis à l'homme d'espérer sans se fuir ou se faire illusion ?

Mais, tout d'abord, quel est-il cet homme qui espère ?

C'est un être marqué par la finitude et la mort, foncièrement historique, voué au temps et au devenir. De tous les mammifères, l'homme est sans doute celui qui naît le plus démuni. L'homme se rêve « en plein », mais c'est par son manque qu'il convient de l'aborder et de le comprendre : dès sa naissance, il est constitué comme un être autonome par une séparation, une coupure, dont il porte en sa chair la cicatrice. Ce manque n'est pas seulement physique, il constitue la personne humaine comme telle. L'homme est par essence inachevé, béance. Supprimons ce manque, faisons de lui un être rempli, comblé, sans avenir par conséquent, la vie est alors supprimée ! Que serait une personne humaine au repos, sans aucun désir ? Est-ce vraiment ce à quoi nous aspirons : un repos éternel ? Il suffit d'aligner ces remarques un peu simplistes pour percevoir le paradoxe de l'homme en quête de bonheur. Il est constitué, défini par un manque, mais l'existence de ce manque fait jaillir le désir de combler la faille ; c'est alors qu'il devient dynamique, vivant, fécond, sujet d'une histoire.

L'homme est donc inachèvement et en même temps désir de plénitude, d'assouvissement. Voilà pourquoi il se caractérise autant par ce vers quoi il tend que par ce qu'il est déjà : l'homme est progrès, marche, passage ; non pas la soif, ni la source, mais le chemin que la soif conduit à emprunter pour retrouver la source.

Nous sommes donc amenés, dans la présente recherche, à renoncer à toute doctrine du salut qui se présenterait sous le masque de la plénitude et de la perfection. Parler de salut en termes de « vie éternelle » pourra être ambigu, si une telle expression fait oublier que l'homme est essentiellement un être historique, destiné naturellement à mourir. Appeler sur l'homme un salut qui nierait en lui ce qui fait qu'il est un homme, ce serait nier l'homme. Un vocabulaire, tel celui des Pères grecs, présentant le salut comme une « divinisation » de l'homme, peut difficilement être repris tel quel aujourd'hui. L'homme n'est pas Dieu, mais homme, voué à la contingence et au temps : c'est le temps qui lui permet d'être homme en le devenant.

Comment, dès lors, parler de salut, si tel est l'homme ? Que lui est-il encore permis d'espérer ?

Vivre pleinement son humanité

Que peut-on dire du salut, à l'intérieur d'une réflexion qui, pour le moment, fait abstraction d'une révélation ? Que peut-on dire du salut pour que ce soit un salut qui respecte l'homme, et non un opium qui l'aliène par l'illusion : illusion d'abolir les conflits et les différences, illusion de réduire le caractère irréductible d'autrui, illusion de la perfection totale et définitive, etc.

Mais, au fait, ces aspirations ne sont-elles qu'illusions ? Ne sont-elles pas l'indice, malgré la critique des sages et des sceptiques, de l'indéracinable force de l'espérance qui sourd au cœur de l'humanité ? N'indiquent-elles pas des revendications de la vie envers et contre tout, face à la mort ? Etre sauvé ne serait-ce pas avoir la possibilité, envers et contre tout, de croire à la vie, de lutter pour la vie, face à la mort ?

Quand je me pose la question : pour moi, être sauvé, qu'est-ce que ça veut dire, en vérité ? je me retrouve devant des réponses simples, tellement simples qu'elles apparaissent presque vagues, alors qu'elles sont fondamentales et touchent à l'essentiel : cet essentiel qu'est la vie affrontée et confrontée à la mort. Lorsque, personnellement et en tant qu'homme, je me pose la question de mon salut, je me trouve devant cette première réponse : je désire être sauvé de ce qui m'empêche de devenir moi-même. Qu'y a-t-il derrière ces mots d'apparence égoïste, dans lesquels perce encore, semble-t-il, l'accent de l'homme rêvé ? « Devenir moi-même », qu'est-ce à dire ? C'est avoir la possibilité de servir cette part de vérité qui est en moi, de déployer la vie qui est en moi et que je suis ; vivre, être moi avec autrui, me recevoir d'autrui et vivre avec lui la communion, édifier ensemble une humanité vraie. Quand j'interroge le plus sincèrement possible ce qui me paraît être le meilleur de moi-même, quand je me demande radicalement : pour toi, être sauvé, qu'est-ce que ça veut dire ? je ne peux qu'énoncer des mots simples, à la limite de la banalité : être sauvé c'est avoir la possibilité de vivre pleinement mon humanité, d'exister aujourd'hui. Non pas demain en échappant à la mort, ou dans l'au-delà, mais ici et maintenant : pouvoir faire, pour un temps, un bout de chemin sur la terre, avec d'autres et pour d'autres, car on ne peut véritablement aimer la vie pour soi sans vouloir que les autres aient leur part, puisque autrui est mon semblable.

Quand j'évoque les obstacles qui obstruent le chemin sur lequel je marche vers une certaine réalisation de moi-même, jamais atteinte, sans cesse à faire — car ma vie est, en définitive, cette naissance ! — je peux nommer certaines impossibilités, certaines incapacités qui ne sont pas nécessairement des faiblesses ou des manques dont je porte la responsabilité — bien qu'il en existe — mais qui viennent de moi, tout simplement parce que je suis homme et, par conséquent, un être limité. Ces incapacités et ces impossibilités peuvent venir aussi des autres qui ont des limites et des faiblesses semblables, et dont les projets peuvent contrecarrer les miens. Il n'empêche que, pour moi, être sauvé c'est pouvoir continuer de naître à moi-même, de m'engendrer. J'ajoute aussitôt, car je ne peux matériellement pas l'énoncer en même temps, mais c'est simultané : être moi-même, c'est aussi permettre aux autres de naître, de devenir eux-mêmes. Je ne peux avoir une prétention à devenir moi-même, sans le vouloir aussi pour autrui.

Les hommes ont compris cela depuis longtemps. S'ils ont laborieusement élaboré la Déclaration universelle des Droits de l'homme et les Pactes internationaux qui partiellement l'appliquent, et s'ils continuent de tenir des conférences pour la défense de ces droits, c'est qu'ils savent ce que cela veut dire que d'être un homme, une personne, et que les droits des uns ne peuvent être respectés que dans la mesure où on les reconnaît également pour tous les autres : droits de l'homme, droits de tous les hommes, droits de chaque homme, droits pour tous les hommes et tous les peuples, sans distinction de race, de condition ; droits de chacun et de tous à vivre tout ce qui fait qu'un homme est un homme. Telle est la signification profonde des Déclarations internationales : aussi maladroites et incomplètes qu'elles puissent être — et même si leur idéologie est parfois critiquée —, elles sont l'expression d'une humanité qui énonce ce qu'elle pense qu'un homme doit être et avoir pour devenir authentiquement un homme. Chaque époque se doit de traduire pour tous cette avancée dans la conscience que l'humanité prend d'elle-même, et qui s'effectue au long de son histoire au prix de luttes et de souffrances. De fait, des hommes sont morts, et continuent de mourir en multitude, pour que ces droits, sans cesse bafoués, soient reconnus et défendus.

Etre sauvé, c'est donc en premier lieu et fondamentalement avoir la possibilité de devenir une personne humaine et de jouir personnellement et collectivement de tous les droits de l'homme. Inséparablement, être soi-même c'est lutter contre ce qui empêche les hommes d'être des hommes. On voit ainsi émerger, à la source de la réflexion sur le salut auquel aspire l'homme, le fait que ce salut est aussi, en son origine, une exigence de justice, non seulement pour soi mais aussi pour autrui.

Cette exigence, j'ai à la traduire concrètement dans mon existence, pour que les autres soient davantage heureux certes, mais également parce qu'elle est une condition même de mon propre bonheur. Amour, dignité, liberté, justice, etc., toutes ces « valeurs », ces droits, je ne peux les revendiquer pour moi sans, en même temps, lutter pour qu'autrui les gagne. Et peut-être se fera-t-il que cette lutte conduise à rencontrer la haine, l'indignité, l'injustice, l'oppression. Voyez Jésus, et tous ceux qui, avant comme après lui, ont voulu témoigner par leur vie, de la dignité de l'homme, et ont préféré cette dignité à leur propre vie !

Mais quelle est l'origine de cette haine qui tue et fait obstacle au salut ?

Dans la difficile acceptation d'autrui

Si, pour l'homme, être sauvé c'est avoir la possibilité de vivre et de faire vivre autrui, de vivre avec autrui dans le partage des mêmes droits et des mêmes devoirs pour que ces droits soient respectés, le salut sera aussi l'acceptation de l'autre. C'est un objectif très difficile à atteindre : partout règne le refus de l'autre ! A y regarder de près, il semble que nous tenions là une racine vivace du mal qui nous ronge et dévaste les peuples. Les premiers chapitres de la Genèse nous rappellent que ce mal est aussi vieux que l'humanité. Reprenons, pour les entendre, le langage de la Bible.

Dieu crée l'homme. Ce n'est pas un homme « réussi » et « parfait ». Nous l'avons dit, un homme parfait serait inerte ! Dieu ne crée pas un homme parfait, complètement achevé, immortel et tout-puissant. Ce que Dieu désire, c'est un homme qui devienne vraiment un homme et qui soit heureux. « Bienheureux » est le maître mot que le Fils fera entendre sur la montagne. Or, à ce désir de Dieu, l'homme oppose son désir d'être un autre. En désirant être un autre, il se manque radicalement.

Tel est finalement son « péché ». Ce n'est pas que cela, mais c'est aussi et déjà cela. Il est le refus que nous opposons à ce que nous sommes. Il est notre volonté, si souvent affirmée, de prendre la place d'autrui. Refusant d'être limité et créature, l'homme désire étendre son espace à celui d'autrui qu'il désire détruire pour en disposer. En ce sens le péché s'oppose à la création de l'homme par Dieu. Dieu crée l'homme pour qu'il existe comme homme et femme dans la paix à construire ensemble et dans la reconnaissance de Dieu leur origine. Il crée l'homme pour qu'il devienne un frère pour celui qui est son proche et son égal, pour tout homme, pour qu'il appartienne à un peuple frère des autres peuples. Mais l'homme défait ce que Dieu, avec lui, veut faire advenir. L'homme accuse la femme, et tous deux ont honte l'un devant l'autre et se cachent l'un à l'autre. Le frère est jaloux et tue son semblable : il élimine comme un ennemi celui qui n'est que différent. Les nations ne peuvent communier dans la singularité de leur culture, et c'est la confusion de Babel. Les hommes vivent — nous vivons ! — dans un monde à rendre humain, à « hominiser », mais l'expérience montre quotidiennement que le pouvoir, l'argent, la soif d'avoir et de l'avoir conduisent au mépris et font que les hommes ne se donnent pas les moyens d'être des hommes. Certains, même, prétendent empêcher d'autres de vivre une vie humaine, préférant leur confort et leurs intérêts, quitte à exploiter des peuples en les maintenant non pas en vie, mais à la limite de la survie.

Etre sauvé, c'est devenir une personne humaine et faire advenir l'humanité : la sienne, celle des autres, celle d'un peuple dans la quête incessante de l'union avec les autres peuples. Mais cela n'est possible que dans l'acceptation de la finitude : ne pas être et ne pas vouloir être tout, dans l'acceptation joyeuse de n'être que soi-même avec d'autres.

Qui nous délivrera de notre péché qui est refus de nous-mêmes et d'autrui ? Ce salut nous revient. Nous portons en nous tout ce qu'il faut pour le mener à bien. Chacun sait bien qu'il peut, lentement, à tâtons, avec un droit à l'erreur et à l'aide des autres, reconnaître son espace et celui d'autrui.

L'histoire ne nous montre pas seulement un enchaînement de guerres ; elle révèle aussi l'enfantement de mondes qui cherchent leur communion. Cette recherche est notre tâche, et pour l'accomplir nous n'avons pas besoin — en droit — du renfort de Dieu.

Non pas Dieu, mais tel homme

Dans son désir d'être autre, l'homme peut aussi vouloir prendre la place de Dieu. La Genèse exprime encore une expérience très humaine dans le récit de la chute. Ce qui s'insinue au cœur de l'homme et de la femme, c'est la volonté d'être « comme des dieux », de prendre la place du Seigneur ou, du moins, d'être « son égal » (Gn 3, 4). Prendre la place de Dieu ou s'égaler à lui, qu'est-ce à dire sinon prétendre se mettre à la source de tout, se situer à l'origine de ce qui est bien et de ce qui est mal, diviniser nos avoirs et nos pouvoirs, tenir Dieu en otage dans certaines de nos institutions en prenant César pour Dieu, refuser de n'être pas à soi-même sa propre origine ? Devenir un homme, cela ne signifie pas revendiquer la toute-puissance ou l'infinitude. C'est apprendre à habiter son espace humain, se reconnaître créé.

Pour le croyant ce sera accepter de se situer face à ce qui est sans limite, créature face au Créateur, dans la reconnaissance de l'Autre, et, par conséquent, de ce que nous ne sommes pas l'Autre : « Dieu créa l'homme à son image. Dieu vit que cela était bon. » Nous recevons-nous, dans notre condition humaine, comme des êtres bons sortis des mains de Dieu ? Certains de nos discours sur le salut, dans lesquels nous faisons apparaître l'homme comme un être par nature prisonnier du destin, infantile devant un Dieu de qui il attend tout, sont la négation de l'œuvre de Dieu qui nous crée pour que nous assumions notre tâche humaine, cette tâche qui est la nôtre et non la sienne. Ne faisons-nous pas injure à Dieu, quand trop vite nous renonçons à assumer notre responsabilité d'humains voués à l'édification d'une histoire qui est notre fait ? Quelle représentation donnons-nous de Dieu, quand nous affirmons que l'humanité, sa création, est incapable de choisir et de mener son destin ?

Etre sauvé c'est donc aussi être délivré de ce rêve que l'homme pourrait être Dieu, de ce rêve que Dieu pourrait faire à la place de l'homme l'œuvre de l'homme. Ce n'est pas le « tout » de Dieu au prix du « rien » de l'homme, ni le « tout » de l'homme par exclusion de Dieu. La voie du salut est celle de la communion dans la reconnaissance mutuelle :

reconnaissance de l'autre, devenu mon allié et, pour le croyant, reconnaissance de Dieu qui m'offre son alliance.

Où se trouve la racine du refus d'autrui, qu'il soit mon proche ou qu'il soit Dieu ? Quand je réfléchis à cette question en interrogeant ma propre expérience et en observant les êtres, il me semble que l'une des raisons essentielles de ce refus de l'autre est un manque de confiance, c'est-à-dire, si l'on se réfère à l'étymologie, un manque de FOI. Le paradoxe de l'homme, nous l'avons vu, s'exprime dans le caractère fou de ses espérances. Etre limité, voué à la finitude, il désire enjamber le temps, se projeter comme à l'infini, élargir sans cesse son espace. C'est alors qu'il rencontre les idoles, celles qu'érigent le pouvoir, le savoir et l'avoir par lesquels il prétend se dépasser et s'établir comme pour survivre à son manque et à sa finitude. Nous paraissons sans cesse fascinés par ce que nous ne sommes pas. D'où vient cette propension, sinon d'un manque de confiance en la réalité que nous sommes ? Pourquoi faut-il que, parlant de nos limites, nous évoquions aussitôt ce qui se trouve au-delà d'elles et non en-deçà? La « limite » d'un champ, pierre ou pieu qui balise sa surface, indique la terre à cultiver autant que le champ du voisin ! Le salut exigera donc la conversion du regard que nous portons sur nous. Nous sommes ce que nous sommes, et chacun de nous est seul à être qui il est. Sa première tâche est de faire pleinement exister ce qu'il est, sinon qui le fera ? Qu'avons-nous d'abord à apporter aux autres et au monde sinon notre part, cette part de vérité qui est nôtre et que nous sommes seul depuis le commencement du monde jusqu'à la fin des temps, à pouvoir apporter ? Non pas Dieu certes, mais tel homme, cette personne que nous sommes !

Cette confiance en nous doit pouvoir naître d'une conscience de nous-mêmes, de notre être profond. Peut-être conviendrait-il d'évoquer ici comme voies de salut ces chemins qui nous viennent d'Orient et par lesquels la personne prend conscience d'elle-même, apprend le recueillement et l'attention, chemins que nos traditions ont jadis empruntés à leur façon, mais que nous semblons avoir oubliés. La racine du refus mortel d'autrui est dans ce refus ou cet oubli de ce que nous sommes, graine perdue dans le champ du monde, mais graine unique, note unique dans la symphonie de l'histoire, souffle que je suis au rythme de la grande respiration du cosmos.

Cet oubli fait qu'autrui n'est pas perçu comme une chance du fait même de sa différence, fondamentale pour lui et pour moi, car elle me « définit », me « délimite » ; il m'apparaît comme une menace, un rival, non comme un partenaire avec qui partager ce que je suis. Il en est de même pour cet Autre qu'est Dieu. Le péché de l'homme est dans le manque de confiance faite à Dieu, il est aussi refus de la confiance que Dieu me fait : il est refus ou rupture d'alliance.

Dans sa quête de lui-même et des autres, qui constitue le dynamisme de son existence, l'homme se heurte sans cesse à *la difficulté de croire :* croire en l'autre, croire en soi. Il mesure mal qui il est ; il est comme aveugle. L'une des façons dont Dieu, en Jésus Christ, apporte la lumière, est de nous faire redécouvrir, grâce à son regard, le prix que nous avons à ses yeux. Ainsi peut renaître une confiance en nous, en autrui, et peuvent s'ouvrir des chemins de réconciliation. Nous y reviendrons.

J'ai revendiqué plus haut l'autonomie de l'homme dans la création de son histoire. Mais quel est l'horizon de cette histoire sinon la mort ? A l'intérieur même de notre courte vie, la possibilité d'exister n'est-elle pas constamment rongée par la souffrance, la mort prématurée ? Faudra-t-il l'intervention d'un Dieu pour donner sens à ce qui semble absurde ? Peut-on prôner la confiance en cette vie unique que nous sommes chacun, quand, de naissance, nous sommes des êtres-pour-la-mort, des « mortels » ?

Devant la souffrance et la mort

Devenir soi-même, vivre pleinement son humanité et construire avec d'autres, déraciner le péché et se recueillir à l'écoute de ce qui est source, croire en ce que nous sommes et en ce qui existe. Beau programme de salut pour l'humanité, en vérité ! Mais peut-être est-ce là le discours d'un bien-portant, d'un être gâté par la vie ou... aveugle sur le tragique de la condition humaine. Car, il faut bien l'avouer, la souffrance, le mal et la mort sont tissés avec la vie. Sans doute peut-on faire valoir que beaucoup de nos maux sont le fait des hommes que nous sommes : la haine, la guerre et tous ces refus d'autrui dont nous avons parlé. Mais il existe d'autres maux qui accablent l'humanité et contre lesquels elle ne peut rien. Pensons aux forces aveugles de la matière qui se déclenchent dans les catastrophes naturelles, semant la mort. Pensons aux dégradations de nos organismes, à la dégénérescence ou à la prolifération anarchique des cellules qui conduit à la souffrance et à la mort prématurée, pensons aux dégradations et à l'ébranlement des psychismes, aux malformations, à tous les handicaps. Inutile d'insister pour rappeler que l'humanité mortelle est aussi une humanité souffrante.

Qu'est-ce que l'homme pour être ainsi paradoxal : fait pour vivre, mais né mortel ; appelé au bonheur, mais livré au malheur ? N'est-on pas contraint, pour comprendre son espérance et son aspiration au salut, sans tomber dans l'absurde, de faire appel à un Dieu tout-puissant capable de le tirer de cette « vallée de larmes » ? Mais alors, quel est ce Dieu, incapable de créer du premier coup un homme debout ?

Nous sommes ici en présence des questions ultimes : qu'est-ce que l'homme ? pourquoi la vie, s'il y a la mort ? Il y a aussi dans ces interrogations l'expression d'un scandale et d'un destin si insensé que l'on cherche une explication à de telles situations. Pourquoi le mal ? pourquoi la souffrance ? pourquoi la mort ?

Si nous essayons de répondre « froidement » à ces questions — et il est vrai que ces considérations « froides » ne sont souvent possibles que dans les moments où l'existence nous épargne — nous trouvons facilement des réponses, des premières réponses. Considérons en effet l'univers des vivants ; n'est-il pas inscrit que ce monde qui se fait, se construit non seulement dans une lutte de la vie contre la mort, mais aussi grâce à la mort ? La mort d'une espèce peut donner naissance à une nouvelle espèce, la mort des animaux faibles garantira une reproduction par les plus vigoureux. Il ne s'agit pas ici de tirer des conséquences morales — encore moins pascales ! — de ce qui apparaît comme une loi de la vie, mais de regarder, de constater. L'humanité échappe-t-elle à ces lois du monde des vivants ? Poursuivant notre froide réflexion — sans occulter le scandale qui la provoque — je dirai que si l'homme meurt, c'est parce qu'il est un être fini qui doit s'effacer devant ceux qui le suivent. Et si la maladie, l'infirmité et la difformité accablent les humains, c'est parce qu'elles appartiennent à leur structure corporelle vulnérable, où, comme parmi les autres espèces, la vie s'essaie, se manque. Il y a du négatif qui débouche sur du positif ; il y a aussi du négatif qui ne débouche sur rien : il y a de la vie qui meurt...

Pourquoi en est-il ainsi ? Parce que le monde est ce qu'il est. Dans la mesure où il y a du mal qui accable l'homme sans qu'il soit responsable, l'homme est innocent de ce mal. Il n'y a aucune fatalité à invoquer. Il n'y a qu'à invoquer notre condition historique et créée, contingente. Alors, pourquoi notre scandale ? Parce que nous rêvons d'un monde autre. Notre désir de perfection, de cohérence se projette dans un monde imaginaire, idéal, contre lequel vient se heurter le monde réel qui est le nôtre. Il est facile dès lors, si l'on est croyant, d'accuser Dieu d'avoir fait le monde ainsi, ou de lui prêter des intentions : Dieu aurait fait un monde tel afin de nous éprouver, pour nous grandir, nous faire aspirer au ciel, etc.

Pensons, à titre d'exemple, aux sermons sur la souffrance qui tentent de contourner le scandale. La souffrance est un mal, et nous avons à lutter pour l'atténuer. La façon humaine de la combattre sera la mise en œuvre de toutes nos capacités pour l'apaiser, en restreindre les causes et les effets. Mais, comme nous n'acceptons pas d'être voués au manque et à la souffrance, nous allons tenter de la nier en la sublimant, en en faisant une valeur, une mystique. La religion pourra servir d'appui à cette élaboration du désir, elle sacralisera la souffrance. En christianisme, on magnifiera la souffrance du Christ, toute souffrance sera présentée comme un bien à offrir. Nous rendons-nous compte que nous défigurons Dieu ainsi : il n'a tiré aucune joie de la souffrance de son Fils, il n'est pas un sadique ; il ne reçoit aucune justice, aucune satisfaction, aucun honneur de ce qu'un être souffre.

Mais alors, pourquoi un tel monde ? et, si Dieu existe, pourquoi la création est-elle vouée au mal et à la mort ? Il n'y a pas de pourquoi, il n'y a pas de raison ultime. C'est ainsi parce que c'est ainsi. Si nous pouvions dire le pourquoi, le sens ultime, nous serions l'absolu. Dans le prochain chapitre nous verrons quelle conception de Dieu est à l'origine de ce questionnement qui se tourne parfois en accusation. Pour nous tenir à présent dans l'espace de la quête humaine de la vie, constatons que notre condition est mortelle : acceptons ce caractère qui nous constitue.

Doit-on en conclure qu'à cause du mal et de la mort, l'homme est voué à l'absurde ? Je ne le crois pas. Car il n'y a pas seulement la souffrance et la mort. Observons le comportement de l'humanité et percevons, malgré cette présence de la mort, l'existence d'une formidable prolifération de la vie. Ne disons pas que cette prolifération et ce dynanisme sont illusions. Affirmer cela serait, une fois encore, se placer au-dessus de la mêlée et prétendre dire ce qui est sens ultime et non-sens. Si la mort est inéluctable, constatons que la présence de la vie est, elle aussi, inéluctable. Celui que nous appelons « mortel » est un vivant. L'homme est ce paradoxe, et l'échéance de la mort ne doit pas cacher le positif de l'empire de la vie. Ceci ne concerne pas seulement les espèces vivantes, ni l'avancée de l'histoire humaine. Cette volonté de vivre se manifeste à chaque instant dans le refus de se résigner à la mort, comme en témoignent l'édification des cultures, la quête du sens qui tente de combler la distance entre le caractère éphémère de ce qui est vécu et un sens plénier. L'ambition de certains systèmes philosophiques n'est-elle pas, en effet, de qualifier d'immortel ce qui meurt, en le situant dans un ordre éternel de raisons nécessaires ? L'homme se donne des raisons de vivre pour enjamber la mort, et cet effort, lui aussi, doit être considéré. Il est inexplicable, sans doute, mais cet inexplicable fait partie de ce mystère qu'est l'homme, de sa réalité. Voilà pourquoi l'histoire de l'humanité est aussi l'histoire de la foi des hommes en la vie, elle est même le fruit de cette foi.

Placée devant la mort, l'humanité n'a cessé d'aller de l'avant pour affronter le vide et le remplir de vie. Ainsi s'explique, sans pour autant faire appel à la nécessité d'un Dieu, le fait que les hommes croient qu'ils sont plus grands que la mort. C'est un fait, mystérieux sans doute, mais il est là. Des multitudes ont signé cela avec leur vie, « se sacrifiant » pour que d'autres vivent, criant ainsi avec leur sang que le don et l'amour sont plus grands que la mort, que celui qui les vit est plus fort que la mort. Ce cri lancé dans le moment même où l'on se perd, est l'affirmation la plus péremptoire que l'homme ne se perçoit pas seulement comme un mortel. Pour lui, la mort n'est pas un absolu. Sans qu'il puisse expliquer pourquoi, le comportement de celui qui se donne pour que l'autre vive, est l'affirmation vécue que la mort n'est pas le dernier mot sur l'homme. Cela n'empêche pas l'homme d'être mortel, cela ne dit pas pour autant quel est le dernier mot sur l'homme ; mais cela laisse ouverte la question et fait apparaître l'homme comme un être de foi qui mise sa vie sur un au-delà des évidences, à commencer par l'inéluctable évidence de sa mort.

« L'homme passe l'homme » écrit Pascal. La vie qui est sienne le traverse : il la reçoit, il peut la donner. La mort n'est pas le dernier mot, elle peut être effacement pour que d'autres vivent. Cela ne dit pas le pourquoi de la vie, mais cela montre — et toute l'histoire est là pour le prouver —, que la présence de la vie est chez l'homme un mystère aussi grand que l'échéance de la mort. Il n'appartient pas à l'homme de déchiffrer le sens total de ce mystère qui ne cesse de l'habiter et qu'il n'a cessé de scruter. L'histoire manifeste aussi que l'humanité n'a cessé de le servir. Certes, il y a le mystère du mal, et de ce mal que les hommes s'infligent, mais il y a aussi le mystère de la vie, de la vie que les hommes se donnent et au service de laquelle ils savent aussi se mettre, en se perdant pour que d'autres la reçoivent.

En termes de salut, cela pourrait s'exprimer ainsi : être

sauvé, pour l'homme, c'est encore avoir la possibilité d'aimer et de se donner, d'offrir ce qu'il est, de se libérer de ce qui l'empêcherait d'avoir cette ouverture jusqu'au don extrême pour que d'autres vivent.

*
* *

Les aspirations légitimes de l'homme

Cherchant à dire, dans un langage actuel, la foi en Jésus Christ, Ressuscité et Fils du Dieu vivant, nous avons été conduit à scruter l'attente humaine qui peut trouver en Christ son accomplissement. Nos réflexions permettent de préciser les saluts vers lesquels l'humanité peut légitimement se tourner ; elles indiquent également certaines voies impraticables.

Le salut humain, quelle qu'en soit la forme, naît du droit que l'homme a d'exister et implique le devoir qu'il a de faire à autrui sa place sur la terre des vivants. Il englobe tout l'homme et tous les hommes, nous le savons mieux, aujourd'hui que les moyens de communication et les circuits économiques font de tous les peuples de proches voisins. Le salut sera aussi dans le pain du corps, dans la reconnaissance d'autrui, dans la lutte contre l'aliénation et l'oppression, dans le ressourcement spirituel qui dit le prix de chaque être et permet cette confiance intime acquiesçant à ce que nous sommes. Qui sera le sauveur, sinon l'humanité elle-même, qui a pour tâche de devenir elle-même ?

Reste-t-il alors une place pour Dieu ? Oui, dans la mesure où l'humanité affrontée à la mort ne s'enferme pas dans l'absurde : elle reste une question et un paradoxe qu'elle ne peut résoudre, et l'existence même de cette question et de ce paradoxe la maintient ouverte. L'homme se reçoit, il n'est pas à la source de lui-même, il n'est pas l'absolu, la vie le traverse. Au long des siècles, il a témoigné concrètement de cette conviction. La mort n'est pas un absolu. Elle ne lui dit pas le pourquoi de sa vie, elle est en revanche sans cesse affrontée par une foi qui l'enjambe sans pour autant savoir s'il y a une autre rive. La question de Dieu reste ouverte, il y a place pour l'origine, sans que cela signifie que cette origine existe. Seule la foi accueillera la révélation de l'origine.

Cette foi ne pourra pas proposer n'importe quel salut. Il convient ici de recueillir le fruit de notre présente réflexion. Si Dieu existe et si Dieu est sauveur, il paraît difficile que le salut qu'il propose vienne apporter à l'homme tout ce qu'il désire, et la perfection à laquelle il aspire. Car, nous l'avons dit, l'homme serait-il encore un homme, une fois transformé en un être repu, voué au repos éternel ? C'est dire que la réflexion sur le salut de Dieu devra rester vigilante pour ne pas projeter sur Dieu la mégalomanie du désir humain. Si Dieu est Dieu, il ne peut être la construction de ce désir. Si Dieu est celui qui a créé l'homme, il ne peut lui apporter un salut qui l'aliène.

Quel peut être ce Dieu ? Que peut être ce salut ? Que va-t-il advenir au creux de l'attente humaine ? Comment situer sur cette voie, l'événement Jésus Christ ? C'est ce qu'il nous faut à présent envisager.

13

QUAND DIEU SE FAIT CONNAÎTRE

Les hommes sont d'insatiables et insatisfaits chercheurs de bonheur et de salut, et cette quête ne peut trouver en eux une réponse pleinement satisfaisante, elle reste ouverte sur un ailleurs, sans qu'aucune pensée humaine ne puisse d'elle-même cerner cet ailleurs. Si Dieu se fait connaître, il doit le faire de lui-même, par un événement qui vienne traverser l'histoire. Cet événement, nous le croyons, est la vie, la mort et la résurrection de Jésus Christ.

Scrutons cet événement, tout en restant proche de la quête humaine, dans sa rigueur austère ; examinons comment se réalise la rencontre. Dieu n'est pas la création de l'homme, il est autre. Il doit donc ouvrir le cœur de l'homme à sa venue. C'est ce qu'il réalise dans notre histoire avec Jésus Christ.

Dieu n'est pas celui que nous pensons

La grande tentation des hommes, confrontés à leur condition, est d'élaborer des synthèses pour combler la faille qui s'ouvre devant leurs questions sans réponses. Dieu peut alors être pensé comme l'Etre suprême qui résout les contradictions de l'existence. Perçu comme celui qui donne sens à ce qui est sans raisons, on le croit accessible à l'entendement, à la raison. Une telle conception philosophique de Dieu n'est plus admise aujourd'hui car, en réalité, elle « appréhende » Dieu, met la main sur lui et l'asservit aux exigences de nos questions. Dieu devient alors une partie du tout de l'univers : pensé comme l'Etre placé au sommet de la hiérarchie des étants, il est inséré dans le monde.

Ces perspectives portent atteinte au monde et à Dieu. Au monde, car son autonomie et sa capacité créatrice sont niées : il est aliéné. A Dieu, car il ne peut plus être perçu comme l'Etre souverainement libre : il est devenu un chaînon nécessaire à l'explication de l'univers, le moment d'une synthèse, le fruit de notre pensée. Littéralement parlant, Dieu n'est donc pas celui que nous *pensons.* Il n'a d'autre raison d'être que lui-même. Il n'y a aucune nécessité en lui à créer. Cela signifie que le monde est le fruit de sa liberté, de sa grâce : il n'y a pas d'autres raisons à l'existence de l'univers que l'amour. Le monde est créé par gratuité, sous le mode du don. Souvent la foi au Dieu créateur se confond avec un théisme faisant de Dieu une explication. Dans de telles perspectives — que nous avons exclues — le discours sur la création est un discours sur le commencement de l'univers. En réalité, la foi en la création est une foi en la relation actuelle au Dieu qui fait exister le monde et chacun ici et maintenant. Parce qu'elle est de l'ordre de la foi — nous disons : « Je *crois* en Dieu Père, créateur... » — la création ne peut être déduite par la raison de la contemplation de l'univers.

Dans la Bible, la notion de création s'est développée, au sein du peuple d'Israël, au moment de l'Exil, c'est-à-dire à une période où les israélites faisaient véritablement l'expérience d'un certain abandon par Dieu, du dépouillement de tout ce qu'il leur avait promis et donné : une terre, un roi et sa descendance, un temple. Lors de l'Exil, la terre n'existe plus, le roi est déporté, la descendance n'a plus de trône, le temple est détruit. Qu'en est-il des promesses, et de celui qui les a faites ? La foi en la création surgit du chaos de l'Exil, du silence de Dieu.

Cette foi est d'abord un dire sur Dieu[2]. Par tous ces dépouillements, Israël perçoit qu'on ne peut s'approprier Dieu : Dieu n'est pas dans la terre qu'il a promise, il n'est pas dans le Roi attendu, il n'est pas dans le temple fait de main d'homme, il n'est pas une réalité de ce monde. Affirmer, comme le fait le premier chapitre de la Bible, que Dieu a créé les astres, le soleil, la terre, les hommes — donc aussi le Roi — c'est affirmer que ni le soleil, ni la terre, ni les hommes, ni le roi ne sont sacrés : ils ne sont pas Dieu. Les institutions, comme la royauté ou la religion, sont pour les hommes, elles sont réalités humaines : aucune réalité humaine ne peut être érigée en absolu. « Et Dieu vit que cela était bon ». Il est Autre que la création ; pour accentuer la différence et le caractère radical de cette altérité, certains disent : il est le Tout Autre.

De lui-même, le monde ne parle pas de Dieu, il ne permet pas de « remonter » à Dieu par un subtil enchaînement d'effets et de causes permettant de rejoindre ce que certains philosophes de l'Antiquité ont appelé un « Premier Moteur ».

2. Sur tout ceci, voir le beau chap. II de *Quand je dis Dieu* de J. POHIER, Seuil, 1977, p. 71-128.

Cela signifie que notre monde, en tant que tel, vit dans le silence de Dieu. Dieu a créé ce monde radicalement autre que lui, le cosmos a ses lois propres de fonctionnement, il n'a pas besoin qu'un Dieu vienne constamment suppléer à ses éventuelles déficiences. Le silence de Dieu dans le monde est le signe du respect de Dieu à l'égard de sa création : Dieu s'efface pour que le monde soit. La présence de Dieu est celle d'un Dieu silencieux parce qu'il est autre que le monde. L'homme est invité à recevoir le monde de la gratuité de Dieu, sans pouvoir de lui-même reconnaître la main qui lui fait ce don. Notre tentation sera, devant ce silence, de nous attribuer cette origine, de nous faire Dieu, ou de nier qu'il y ait une quelconque origine, ce qui est une autre façon de se faire Dieu par la prétention de connaître et l'origine et la fin qui, en réalité, nous échappent. L'homme est question parce qu'il se reçoit d'un Autre qui s'efface.

Effacement ne veut pas dire absence. Altérité ne signifie pas distance. Dieu n'existe pas en dehors du monde, pas plus qu'il n'est dans le monde. L'altérité n'est pas celle de deux partenaires ou de deux vis-à-vis. Dire que Dieu, dans le silence, est présent à sa création, c'est affirmer qu'il est aussi au plus intime d'elle-même : la reconnaissance de Dieu, quand elle a lieu, n'est pas seulement rencontre extérieure, mais révélation intérieure. Le Nouveau Testament ne parle pas autrement, nous l'avons vu.

Nous pouvons d'ores et déjà mettre en relation ces réflexions sur le Dieu créateur et la quête du salut. Si Dieu entre en relation avec l'homme, ce ne peut être pour l'aliéner. Dans la relation, Dieu restera Dieu, l'homme restera homme. L'altérité ne sera pas supprimée, ni la « démesure » qui sépare le Créateur de sa créature. Cela exclut par avance toute action de salut qui serait conçue comme un coup de pouce divin donné à un homme défaillant. Certes la reconnaissance de Dieu aura sur l'homme une action transformante, elle sera conversion, levée d'obstacles. Mais l'essentiel sera ailleurs. Si véritablement la relation de l'homme à son Créateur est fondée sur l'amour et la gratuité, nous pressentons qu'une révélation — quand elle aura lieu — sera orientée vers la reconnaissance de cet amour, elle sera invitation à nouer une alliance.

Le cours de la pensée est ainsi dirigé vers une conception du salut qui ne sera pas essentiellement tournée vers l'homme. Dans toute alliance chaque contractant apporte sa part. Parler du salut en termes de reconnaissance, de révélation, d'alliance, conduit à se demander si le vrai salut n'est pas, finalement, cette offre que Dieu fait de lui-même. Et je ne vois pas pourquoi cette offre, qui ne peut être une création humaine car elle ne vient pas de notre cœur, pourrait être perçue comme une aliénation, surtout quand elle se fait dans le respect de la liberté de l'homme. Aliéné serait plutôt l'homme refusant que quoi que ce soit puisse lui venir d'ailleurs, d'un Autre.

Cette offre, cette communication que Dieu veut faire de lui-même, ce silence qui devient Parole pour l'homme, nous croyons qu'ils ont un nom : Jésus Christ. Revenons, une fois encore, à la méditation de son mystère, révélateur et donateur de Dieu, avant de voir comment nous pouvons le faire nôtre, et comment il se situe par rapport aux aspirations humaines.

Il nous est né un Sauveur

Le jour de la naissance de Jésus, l'ange dit aux bergers :

> Soyez sans crainte car voici, je viens vous annoncer une bonne nouvelle, qui sera une grande joie pour tout le peuple : Il vous est né aujourd'hui, dans la ville de David, un Sauveur, qui est le Christ Seigneur (Lc 2, 10-11).

Cette composition de Luc désigne Jésus comme le Sauveur, et ce titre englobe ici, ceux de Christ et Seigneur. Celui qui était attendu comme le porteur de toutes les espérances et en qui devait se jouer le destin du peuple, celui qui sera reconnu Roi de l'univers dans sa résurrection, celui-là est le Sauveur. Quel est le salut apporté par Jésus ? En quoi peut-il être reconnu, aujourd'hui encore, comme l'Attendu ?

Pour répondre à ces questions, laissons-nous guider par la tradition de l'Église qui a proposé, de façon très diverse et nuancée, selon les cultures et les Églises — quatre figures du Sauveur[3]. La première figure est celle du *Christ lumière :* Jésus nous sauve parce qu'il nous montre un chemin, il s'adresse à nous comme un maître de sagesse, il ouvre une voie sans se substituer à notre propre cheminement. Dans cette optique, la mort sur la croix est envisagée comme un acte suprême d'amour destiné à convertir notre cœur. Pour nous attirer à lui, librement, Dieu manifeste qu'il nous aime radicalement. — Un autre courant théologique a insisté sur *la dimension sacrificielle* de la vie et de la mort du Christ. Alors que le courant précédent soulignait la part de l'homme dans la

3. Résumé inspiré de H. TURNER, *Jésus le Sauveur,* Cerf, 1965.

réalisation du salut (l'homme doit répondre à l'amour qui lui fait signe), celui-ci met en évidence que Dieu a l'initiative du salut en Jésus Christ, Agneau qui porte les péchés du monde. Ce qu'on appelle habituellement la théologie de la rédemption, où le Christ se substitue à l'homme pécheur, est de la même veine. — Un troisième courant présente le Christ *victorieux des puissances du mal.* Il restaure l'histoire humaine et il est, à ce titre, un nouvel Adam. Cette représentation a un caractère mythologique, retenons son enjeu : le salut a été obtenu par un combat du Christ, c'est-à-dire au long d'une histoire particulière, et grâce à la mise en œuvre d'une authentique existence humaine. Quand la théologie latine insiste sur le caractère « méritoire » des actes du Christ, elle se situe dans la même ligne. L'insistance actuelle des « théologies de la libération » sur l'œuvre du salut inscrite dans les libérations humaines n'est pas sans rapport avec cette forme ancienne de la théologie. — Une dernière expression du salut est fournie par le thème de la *divinisation.* J'ai déjà attiré l'attention sur l'ambiguïté de cette dénomination. Cette théologie a cependant l'avantage, comparée aux précédentes, d'orienter le regard vers la situation dans laquelle l'homme sauvé est instauré. Le salut n'est pas seulement libération de ce qui opprime, il est entrée dans une vie renouvelée, caractérisée ici comme une vie avec Dieu qui transfigure.

Christ nous sauve parce qu'il meurt pour nous ; parce que sa vie et sa mort témoignent de l'infinie tendresse de Dieu et nous montrent un chemin d'évangile pour aller vers lui ; parce qu'il nous introduit dans le partage de la vie de Dieu. Tel est, très rapidement rassemblé en quelques phrases, le donné de la Tradition sur le salut chrétien. Guidé par cet apport, essayons de nous approprier ce donné en relisant l'itinéraire de Jésus.

Le plus important, dans le salut, n'est pas son aspect négatif, ce qu'il nous fait quitter, mais ce vers quoi il nous achemine. Or, si véritablement Jésus Christ est la venue de Dieu parmi les hommes, ce que donne en premier lieu Jésus c'est la présence, l'amitié, la communion avec Dieu. Dans le présent de la vie des hommes, Dieu se propose comme partenaire d'une alliance. Le salut a une dimension mystique. Cet aspect est trop souvent laissé dans l'ombre, il faut y insister. Etre sauvé, c'est vivre en la présence et de la présence de Dieu, sous son regard. Le connaître, lui ; croire qu'il n'ôte jamais sa présence, même s'il s'efface et se tait. Certaines expériences humaines peuvent laisser pressentir cette transfiguration de l'existence. Quand on a perçu ce que cela signifie que d'être accueilli par quelqu'un, avec tout ce que l'on a, tout ce que l'on est, ombres et lumières, projets, obstacles, contradictions... quand on a su se laisser regarder ainsi, et qu'on a senti couler sur tout cela une grande miséricorde, empreinte de tendresse, on pressent ce que peut être dans une vie la présence de Dieu. Ce n'est pas une présence aliénante qui conduit à l'oubli et à la consolation facile : c'est une présence qui suscite. Croire que maintenant cette présence ne me manque pas si je ne me détourne pas d'elle, croire que rien n'est étranger à un tel regard, est une force de salut pour aujourd'hui. Il y a là quelque chose de décisif : le salut chrétien implique cette communion, cet échange. L'attention à cette présence, maintenant, dans la prière, est véritablement une entrée dans le salut de Dieu, dans cette part qu'il apporte en venant parmi les hommes. Le salut de l'homme est dans ce partage de la part de Dieu. Ce faisant, Dieu vient véritablement au-devant d'une aspiration humaine.

Nous avons vu, en effet, que ce qui nous menaçait le plus, était notre manque de foi : manque de foi en nous, dans les autres, en Dieu. Les évangiles montrent dans les gestes de Jésus, image du Dieu invisible, la confiance qui est accordée à chaque être, ne l'enfermant pas dans ce qu'il fait, mais faisant appel à sa liberté. Au dire de Jean, l'attitude de Jésus à l'égard de la femme adultère traquée, brise « le cercle au milieu duquel elle se trouve » (Jn 8, 9-10). En Jésus nous voyons à l'œuvre la Parole de vie qui est à l'intime de chaque être, cette parole « qui éclaire tout homme » (Jn 1, 9). L'existence humaine de Jésus est une bonne nouvelle de salut, car elle nous libère du doute et des images oppressantes de Dieu. Celui que nous cherchons à tâtons est un Dieu Père, un Dieu Amour. Que nous soyons juste ou pécheur, que notre nom soit Marie ou Judas, nous pouvons croire que Dieu peut nous rejoindre et ouvrir nos prisons. La croix de Jésus révèle que Dieu est avec nous jusque dans la mort. La résurrection de Jésus témoigne que Dieu reste Dieu-avec-nous jusque dans la mort, puisqu'il sort vivant du tombeau.

La paternité de Dieu

Jésus nous sauve parce qu'il nous révèle que Dieu est père, un père qui fait naître. A cet égard, la vie de Jésus permet de lever certaines objections concernant le « Dieu Providence ». Cette notion est souvent récusée pour deux raisons. D'abord elle implique que Dieu veille sur chaque geste de l'homme, et pourvoit à tout ce qui lui manque : Dieu « pourvoit ». Un tel père omniprésent est rejeté au nom de l'autonomie de l'homme, et au nom du respect de Dieu à l'égard de notre liberté. Le Dieu Providence est aussi récusé parce que l'existence du mal paraît s'opposer à sa bienveillance. Nous nous sommes déjà expliqué sur ce point, mais il reste intéressant de voir comment la vie de Jésus nous libère de ces fausses images de Dieu.

La vie et la mort de Jésus manifestent que, pour Dieu, être providence n'est pas dispenser l'homme de son métier d'homme, ni lui faire quitter sa condition humaine avec ses aléas, ses peines, ses exigences. Pour Dieu, être providence, c'est se donner à l'homme au sein de son existence, c'est venir partager cette existence : telle est la bonne nouvelle de l'incarnation du Fils. Dieu n'est pas venu dispenser l'homme de la mort, il est venu le rejoindre dans la mort, sur une croix. La mort de Jésus, Fils de Dieu, atteste que l'homme n'est pas séparé de Dieu dans la mort, car Dieu est venu au séjour des morts : « Oui, j'en ai l'assurance, écrit saint Paul, ni mort, ni vie, ni présent, ni avenir, ni puissance, ni aucune autre créature ne pourra nous séparer de l'amour de Dieu manifesté dans le Christ Jésus notre Seigneur » (Rm 8, 38-39).

Dieu ne dispense pas les hommes de la mort. Il ne les dispense pas d'avoir à rechercher comment être ensemble providence les uns des autres. Pour Dieu, être providence ne consiste pas à se substituer à ce qui est notre part. La vie de Jésus témoigne ce que signifie pour Dieu être Père. Le Père ne dispense pas son Fils de la mort, « malgré les supplications que Jésus a adressées à celui qui pouvait l'en délivrer » (cf. He 5, 7). La Providence n'a pas dispensé le Fils de la contestation, de l'échec, de la trahison, de la mort ignominieuse. L'heure pour laquelle est venu le Fils, et à laquelle le Père l'a conduit, est l'heure de la croix. Étrange providence ! A lire l'existence de Jésus, on perçoit clairement qu'il est impossible de donner à certaines de ses paroles, si souvent citées, — celle sur le lis des champs, sur les cheveux de notre tête qui sont tous comptés — une signification lénifiante. Jésus a reçu du Père sa condition de Fils, il s'est laissé entièrement façonner par le don que le Père lui a fait de lui-même : la Parole de son Père fut sa nourriture.

Finalement, ce que Dieu peut donner, c'est lui-même. Telle est sa part dans l'Alliance. Qu'attendons-nous d'un Dieu Providence ? Qu'il nous donne toutes choses, ou qu'il se donne lui-même à nous ? L'Évangile et la vie de Jésus ont répondu à cette question : « Cherchez le Royaume », et telle est bien la première demande du Pater, dans la version de Matthieu :

« Notre Père céleste, fais-toi reconnaître comme Dieu, fais venir ton Règne, fais se réaliser ta volonté » (Mt 6, 9-10). La connaissance de Dieu, voilà ce que Dieu seul pouvait apporter, tel est le don de sa Providence : « La vie éternelle, c'est qu'ils te connaissent, toi, le seul vrai Dieu, et celui que tu as envoyé, Jésus Christ » (Jn 17, 3). Ces paroles peuvent paraître éloignées de la misère concrète de tant d'hommes et de femmes ; elles sont signées par la vie de Jésus. Jean les a situées quelques heures avant qu'il ne donne sa vie pour être totale transparence à l'Amour du Père afin de se recevoir totalement de lui.

Dieu solidaire

Par la foi en la création, nous affirmons que l'acte de Dieu qui crée est notre présent. Dieu a été, est et sera le créateur de la totalité de ce qui existe. Cette affirmation est pour le croyant une invitation à saisir en toutes circonstances, en toutes réalités, une occasion de se tourner vers Dieu, de le reconnaître. Elle est pour lui une invitation à se recevoir lui-même de Dieu qui, à chaque instant, le crée. La liberté n'aura jamais fini de s'ouvrir à cette présence radicale, là où elle prend racine.

Nous sommes appelés à tout recevoir de Dieu, à recevoir de lui notre liberté créatrice qui nous fait image de Dieu. Il n'y a donc pas de concurrence à établir entre l'action de Dieu dans le monde et l'action de l'homme : celle-ci est l'expression même de la création de Dieu, dans la mesure où elle est la mise en œuvre d'une liberté créée par Dieu. L'histoire humaine est l'histoire de cette naissance, de cette « procréation » du monde dans lequel nous avons à être providence les uns pour les autres.

Dans l'histoire de Jésus, la solidarité de Dieu avec l'ouvrage de ses mains a parlé le langage d'une existence humaine. En faisant sienne la cause de ceux qui sont exclus de la « providence des hommes », en assumant notre condition jusque dans la mort, la mort prématurée et violente de l'innocent, Dieu a manifesté en son Fils qu'il assumait jusqu'au bout les conséquences de son acte créateur, y compris notre aventure humaine, fruit de notre liberté, elle-même créée par Dieu. Par la résurrection du Fils, il a manifesté la signification ultime de l'histoire, appelée à s'accomplir par le Fils en Dieu, dans une relation de connaissance et d'amour qui est la vie même de Dieu.

Dieu qui est le Dieu qui crée et qui pourvoit n'a pas à

nous donner ce qui doit être le fruit de notre travail, il n'a pas à se mettre en contradiction avec lui-même en nous donnant ce qui nous dispenserait de vivre notre condition. Le Père offre ce que lui seul peut offrir : sa propre vie. C'est pourquoi il a donné son Fils, son Unique.

Dans le prochain chapitre, nous verrons comment il nous est possible d'accueillir ce don. Mais il convient d'avancer plus avant dans la révélation que Dieu fait de lui-même en Jésus Christ, dans la connaissance de son « offre ». L'Ecriture et la Tradition, en effet, affirment que Jésus est Sauveur parce qu'il a ouvert un chemin de salut à travers la mort. A plusieurs reprises nous avons rappelé ce donné de la foi, qui nourrit notre espérance : nous sommes appelés à suivre le Fils à travers la mort, jusque dans sa résurrection. Comment faire nôtre ce point essentiel, sans oublier les requêtes de nos contemporains qui craignent, à juste titre, le Dieu fait de main d'homme ? Deux questions viennent ici à la rencontre de l'homme contemporain qui désire ne pas rejeter l'acquis de sa culture pour croire. La première concerne le rôle unique du Christ dans l'histoire des hommes. Cette question n'est pas nouvelle, elle habitait déjà les philosophes rationalistes : comment une existence particulière peut-elle prétendre à une destinée universelle ? Comment ce qu'a fait un seul peut-il rejoindre tous les hommes ? Certes, nous sommes ici dans l'ordre de l'insondable, de la gratuité. A la suite de théologiens anciens et contemporains, nous essaierons de proposer quelques raisons qui éclairent ce donné de notre foi : Christ est mort pour tous, il est source pour tous. Dans un paragraphe ultérieur, une autre question retiendra notre attention : Comment, grâce à la foi, est-il permis d'affirmer simultanément : Dieu a fait l'homme mortel ; Dieu, par la résurrection du Christ, promet aux hommes un chemin identique à celui de son Fils. Comment concilier la défaite de la mort avec la condition mortelle que nous tenons de Dieu même ?

La victoire de la foi de Jésus, le Messie

Il s'agit ici de rendre compte d'un donné de foi très fréquemment cité dans le langage chrétien : le Christ est mort pour nos péchés une fois pour toutes. Qu'est-ce qui donne à l'existence du Christ cette qualité d'« une fois pour toutes » qui permet de le reconnaître comme le Messie, c'est-à-dire comme celui en qui, d'une certaine façon, est inscrit le destin de tout homme ?

Puisqu'il s'agit de situer l'existence historique de Jésus dans l'ensemble de l'histoire du monde, nous allons envisager à nouveau sa situation au regard du dessein créateur de Dieu[4].

Le péché fait obstacle à la création de Dieu, à la communion qu'il veut instaurer avec les hommes et entre eux : il est incrédulité radicale, refus d'autrui et de l'Autre qu'est Dieu. Il est donc possible de voir dans le péché une *anti-création,* un *anti-salut,* une force de mort qui s'oppose à ce que la vie soit.

A partir de cette opposition entre l'œuvre de mort du péché, et l'œuvre de vie du Créateur, il est possible de discerner pourquoi l'existence concrète de Jésus a un rôle unique dans notre histoire, et pourquoi elle est l'occasion du surgissement de l'acte créateur de Dieu dans sa résurrection. Il en est ainsi parce que Jésus « a été éprouvé en tout point à notre ressemblance, mais *sans pécher* » (He 4, 15). Cette affirmation est liée à la foi en la résurrection qui authentifie l'existence et les prétentions de Jésus, et qui manifeste qu'elles ont été totalement un OUI à Dieu :

> Le Fils de Dieu, le Christ Jésus (...) n'a pas été OUI et NON, mais il n'a jamais été que OUI. Et toutes les promesses de Dieu ont trouvé leur OUI dans sa personne (2 Co 1, 19-20).

Ce qui s'oppose à la création et à la vie, c'est le péché. Ce qui tue le péché, c'est le OUI, l'ouverture à Dieu et aux autres, en un mot la foi, l'acceptation et l'obéissance qu'est la foi (Rm 1, 5 ; 5, 19). En Jésus, le Créateur recueille le oui de l'humanité, il trouve le oui nécessaire à l'épanouissement de son œuvre[5]. Cela permet de situer Jésus dans le dessein du Père.

Dieu crée l'homme et il désire faire alliance avec lui. Par le péché, l'humanité s'oppose à l'ouverture à Dieu et aux autres : sa « non-foi » s'oppose à l'alliance et à la création. Jésus « rachète » l'homme, dans la mesure où, historiquement, dans la réalité de notre temps et de sa vie humaine, il introduit un espace de foi. Celui qui est sans péché — parce qu'il est le Fils qui vit de se recevoir totalement du Père — pose, de l'intérieur de notre condition historique de péché —

4. Sont reprises ici quelques données du travail de J. MOINGT, « La révélation du salut dans la mort du Christ », paru dans l'ouvrage collectif *Mort pour nos péchés,* publ. des Fac. Univ. St-Louis de Bruxelles, 1976, p. 117-192. La « foi du Christ » est une des pièces maîtresses de la christologie de G. Ebeling ; elle occupe également une place importante chez H. Urs von Balthasar.

5. « Jésus est ce qui arrive quand Dieu parle sans obstacle dans un homme », Jean SULIVAN, *Matinales,* Gallimard, 1976, p. 147.

donc de servitude — une existence croyante. Il est le OUI à Dieu et aux autres, à tous les autres y compris le pécheur et l'ennemi pour qui ce oui prend la forme du pardon. Aussi l'existence du prophète de Nazareth est-elle victoire sur le péché et sur la « non-foi ». En ce sens, il est bien l'homme attendu par Dieu, il est aussi le Messie attendu par les hommes, celui qui ouvre le chemin de la foi et, par conséquent, le chemin de la vie que tous cherchent à tâtons. L'existence fidèle de Jésus libère l'énergie créatrice qui, en lui, donne naissance à l'humanité parvenue à son accomplissement. Renonçant à lui-même dans un OUI qui le mène à la mort, le Fils va à la rencontre du Père et accomplit sa destinée, ouvrant un chemin neuf à l'humanité. S'étant totalement exprimée dans une vie d'homme qui fut une vie d'amour jusqu'à l'extrême (Jn 13, 1), la vie du Créateur se donne au monde comme si une brèche s'était ouverte dans le péché et l'incrédulité de notre histoire. De Jésus qui meurt se répand l'Esprit du temps nouveau, et de son côté coulent l'eau et le sang de la vie nouvelle (Jn 19, 30, 34).

Sans doute pouvons-nous, à partir de cette méditation du rôle unique de Jésus dans l'histoire, lui qui est « mort une fois pour toutes » au péché, comprendre ce que signifie pour nous son titre de Christ (ou Messie). Pour Israël, le Messie est celui en qui se joue le destin de tout le peuple. Notre foi nous fait adhérer à Jésus parce qu'elle lit comment son destin est le lieu où se joue et se structure notre destinée de façon radicalement neuve, aussi neuve qu'une création. Nous pourrions reprendre ici, à cette lumière, la façon dont Paul a pensé le salut comme une création nouvelle dont le Christ est le centre, la tête. Il apparaît ainsi que Jésus est désormais « le point de passage obligé de tout homme vers l'accomplissement de son destin[6] ». Cette révélation est, à elle seule, lumière qui sauve, elle amène à porter sur l'humanité un regard neuf, lui aussi.

« Le Verbe, écrit Jean (1, 9), illumine tout homme ». Chaque être humain est habité par cette Parole de vie qui l'invite à faire sien le chemin du Verbe fait chair. S'il suit cet appel intérieur, même sans le désigner, si ses pas inscrivent dans son histoire une fidélité à cette Parole par une vie semblable à celle de Jésus, alors son existence traversera la mort. Parce qu'elle est celle du Messie, l'existence de Jésus révèle la structure — j'aimerais pouvoir écrire : la tessiture — de toute vie sauvée.

---

6. A.-M. BESNARD, *Un certain Jésus,* Cerf, 1968, p. 58.

Ceci amène directement l'autre question qui ne peut manquer de se poser aux esprits aiguisés par la critique contemporaine. Cette « traversée de la mort » qu'entrevoit le croyant ne s'oppose-t-elle pas à la condition humaine, purement et simplement ?

La mort engloutie dans la victoire[7]

Au temps de Jésus, les disciples attendaient l'intervention décisive et définitive de Dieu. En confessant la résurrection de Jésus, ils ont accueilli l'avènement du premier jour des temps nouveaux. Comment dire aujourd'hui la fin des temps ? Comment expliquer cette intervention inouïe de Dieu qui semble contredire son dessein créateur ? « La mort a été engloutie dans la victoire » s'exclame Paul (1 Co 15, 54-55). Cette victoire n'est-elle pas aussi la défaite de la première création qui fit les hommes mortels ?

Pour cerner ces indéniables difficultés revenons aux affirmations de la foi. Jésus est ressuscité d'entre les morts. Face à une telle conviction, la raison, si elle adhère à ce que manifeste la foi, peut argumenter en deux directions divergentes. En premier lieu, elle peut considérer ce qui est advenu à Jésus comme un événement le concernant seul. Dieu aurait donc dispensé Jésus du sort des mortels, par sa toute-puissance il aurait fait une exception qui n'aurait pas changé le cours des choses. De fait, le spectacle du monde semble confirmer cette opinion. Ne nous étonnons pas, dans ces conditions, si aujourd'hui beaucoup de chrétiens ne tiennent plus la résurrection de Jésus pour véridique. Si ce qui est advenu à Jésus ne concerne que lui seul, cela reste en effet d'ordre anecdotique.

Il semble difficile de suivre cette opinion, car la foi considère la résurrection de Jésus comme une source de salut et d'espérance. Ce qui est advenu à Jésus est annoncé comme une promesse pour tous. Il est *le premier-né* d'entre les morts. Comment notre raison peut-elle recevoir ce donné de la foi, contredit par la réalité quotidienne ?

La résurrection de Jésus n'est pas une réanimation de cadavre, elle est l'accès à une condition où il n'y a plus de mort, et qui bouleverse les lois de notre monde. Il ne faut pas se le cacher : en Jésus, la nécessité universelle de la mort est non

7. Pour l'arrière-plan philosophique, voir A. DARTIGUES, *le Croyant devant la critique contemporaine,* Centurion, 1975, chap. III et IV.

seulement tenue en échec, mais blessée à mort, s'il est vrai que son destin préfigure le nôtre. Autrement dit, en contradiction avec les lois d'une création vouée à la finitude et à la mort, voici qu'en Jésus un nouvel ordre surgit, imprévisible, sans aucune raison, neuf.

Qu'est-ce à dire sinon que ce qui surgit est analogue au caractère imprévisible, « sans raisons », de la création qui, elle aussi, est venue de rien, pour rien, *ex nihilo,* simplement parce que Dieu l'a voulu ainsi, sans aucune nécessité de sa part, uniquement par gratuité. Ainsi en est-il de l'origine de toutes choses, de ce monde et de notre condition dont le comment n'a pas de pourquoi raisonnable. L'événement de la résurrection du Christ est, lui aussi, un surgissement inattendu, immérité, ayant sa source dans la liberté de Dieu, sur laquelle nous n'avons aucune prise.

En réfléchissant aux attentes humaines, nous avons pris conscience que l'homme ne pouvait, à partir de l'analyse de sa condition et des nécessités de son univers, dire le pourquoi de la création. Nous ne pouvons inclure notre origine dans la chaîne nécessaire de nos déductions ou de nos inductions, car ce serait inclure cette origine dans notre univers, ce serait faire de Dieu, non plus l'Etre libre qu'il est, mais une pièce de nos constructions. Nous ne pouvons ni démontrer, ni exclure l'existence de Dieu par la raison : son existence qui est source de la nôtre se trouve en dehors du champ de notre humanité et de notre raison. Autrement dit, les lois de notre monde, aussi contraignantes soient-elles, ne nous donnent pas la possibilité de dire quoi que ce soit de Dieu sinon que, s'il existe, il est Autre.

Si je reprends ici ce raisonnement, qui figure déjà au début de cette troisième partie, c'est parce qu'il va à l'encontre de notre penchant à construire des systèmes qui appréhendent l'absolu. C'est aussi parce qu'il vaut pour cette autre création qui advient dans la résurrection de Jésus. *Pas plus que nous ne pouvons appréhender notre origine, nous ne pouvons appréhender notre fin,* ce en quoi s'accomplit notre destinée : l'une et l'autre sont de l'ordre de la gratuité.

La résurrection de Jésus manifeste au regard de la foi que notre destinée, mortelle en vertu des lois de notre nature, est appelée à un accomplissement par-delà la mort. Certes, un tel accomplissement est en contradiction avec les lois de la mort, il brouille nos raisons issues de notre expérience historique. Cela signifie que l'accomplissement de notre destinée, pas plus que son origine, ne s'inscrit dans un ordre nécessaire : il s'inscrit dans un ordre de grâce, celui de la liberté de Dieu :

« Le Dieu qui fait vivre les morts » est celui qui « appelle à l'existence ce qui n'existe pas » (Rm 4, 17). La résurrection de Jésus est véritablement le surgissement d'une nouvelle création (2 Co 5, 17 ; Ga 6, 15) ; elle est, pour l'humanité, si elle y acquiesce librement, une offre de vie par-delà la mort, dans la communion avec Dieu qui, en Christ, se réconcilie le monde (2 Co 5, 19). Nous pourrions relire ici les pages consacrées à Pâques, « premier jour de la semaine », cette semaine où Dieu fait du neuf, une nouvelle Genèse.

Ce commencement n'est pas seulement promesse : il est déjà réalité. En Jésus, Dieu s'est réconcilié le monde. C'est aujourd'hui le jour du salut. Mais ce surgissement de Dieu dans cet acte créateur, est marqué de la même discrétion que le surgissement de la première création. La nouveauté de Dieu ne supprime pas d'un coup l'ancien monde. S. Paul, dans ses lettres, souligne fréquemment la tension entre le déjà-là de notre vie « cachée avec le Christ en Dieu » (Col 3, 3), et le déroulement de notre histoire où se déploie encore l'homme ancien. Car Dieu s'offre à des libertés inscrites dans une histoire ; il ne s'impose pas : l'altérité demeure entre lui et le monde, entre lui et le croyant. Le monde nouveau où Dieu se donne n'est accessible qu'à la foi, avant d'être donné totalement dans la gloire.

Cela dit, l'événement pascal ouvre à notre espérance des perspectives extraordinaires. La mort n'est pas supprimée, mais elle n'est plus un absolu ; elle n'est plus le mot de la fin pour l'homme. Cela ne donne pas un sens à la mort, et ne dissipe pas l'obscurité qui l'enveloppe. Mais, par ce qui est advenu à et en Jésus le Christ, nous croyons que Dieu fait surgir la vie là où est la mort, en son lieu. Désormais, par la foi, l'amour et l'espérance peuvent traverser la mort.

*
* *

Dieu n'est pas celui que nous pensons : il n'est ni le fruit de nos idées, ni celui de nos désirs. Il vient vers l'homme dans l'espace ouvert en lui, car l'homme est béance, désirs, questions ; il ne peut dire ni d'où il vient ni où il va.

Cette venue de Dieu, au-devant comme au plus intime de l'humanité, se réalise de façon inattendue dans l'existence historique de Jésus de Nazareth. Proximité étonnante de Dieu, si étonnante qu'elle déroute, scandalise — et ce scandale marque la distance entre la nouveauté de Dieu et ce que l'homme pouvait attendre d'un Dieu sorti de ses désirs. La Parole du Créateur qui se fait connaître à l'humanité devient l'existence d'un homme : le Verbe se fait chair ; la gloire se manifeste sur une croix, la parole de bénédiction du Créateur apparaît malédiction car « maudit celui qui pend au gibet » (Ga 3, 13). Et devant cette distance, où se dit l'altérité de Dieu, les siens ne comprennent pas : la Parole a déchiré les ténèbres, mais les ténèbres ne l'ont pas comprise, les siens ne l'ont pas reçue (Jn 1, 5, 11).

Dans l'alliance avec l'humanité, Dieu apporte sa part. Cette part est son Fils, sa vie même qui est ouverture à la communion avec le Père appelant le néant à l'existence. C'est cette vie-là qui est proposée à l'homme en partage, dans cet « admirable échange » où Dieu prend la vie de l'homme et lui offre le partage de la sienne ; « divinisation » disent les Pères grecs, évoquant cette mystérieuse transfiguration de l'homme. Le grand silence de la création, où l'homme reçoit la vie et voit s'ouvrir devant lui son chemin dans un monde à bâtir, est rompu par la Parole qui ouvre à ce chemin un horizon radicalement nouveau. Au lieu de sa vie et de sa mort, l'homme peut recueillir la présence vivifiante de Dieu, plus forte que la mort.

Telle est la bonne nouvelle de salut, inscrite dans la révélation de Jésus, le Christ. Après avoir pris corps en lui, comment peut-elle prendre corps en nous ? Comment prendre la suite du Maître, et s'engager par la brèche, porté par le souffle de l'Esprit ? C'est ce qu'il nous reste à chercher.

14

QUAND L'HOMME ACCUEILLE DIEU

Les hommes aspirent à vivre en vérité et en plénitude leur humanité. Or, voici que se manifeste dans leur histoire celui qui est leur origine et qui leur propose de marcher en sa présence, de vivre en communion avec lui, et cette communion ouvre devant leur regard un horizon inconnu, dès maintenant et par-delà la mort. La mort n'a plus le dernier mot, car ce mot appartient à celui qui est la Parole de l'origine et de la Fin, l'Alpha et l'Oméga, Jésus Christ. Nous avons vu en quoi cette révélation était offre de salut.

Cette Parole a été dite dans une existence humaine, historiquement située, et distante de nous dans le temps. Comment la rejoindre pour la faire nôtre ? C'est à cette question qu'est consacrée la dernière étape de notre parcours.

Si Dieu est celui qui se fait connaître, comment pouvons-nous entendre sa voix ? Quelles sont les conditions de l'écoute ? Si la Parole du Créateur ne revient pas à lui « sans avoir exécuté ce qui lui plaît » (Is 55, 11), quelle œuvre de salut s'accomplit en celui qui l'accueille ? Poursuivons notre marche en nous laissant guider par ces interrogations.

L'ouvrage de l'Esprit

Puisque Dieu n'est pas celui que nous pensons, nous ne pouvons le connaître que s'il se fait connaître à nous. L'Écriture et la Tradition ont donné un nom à Dieu qui en nous ouvre un chemin pour l'accueillir : c'est l'Esprit Saint ; il est Dieu qui nous atteint, nous saisit au cœur de notre histoire pour nous introduire dans l'ordre de la fin qui n'a pas d'après.

Entendons à nouveau l'Écriture présentant l'Esprit comme celui qui est en nous l'accueil même de la Parole de Dieu, c'est-à-dire l'accueil de l'Évangile de Jésus et, par le fait même, l'accueil du visage du Père auquel nous conduit la suite du Christ.

L'Esprit — le Souffle ! — est la force de Dieu, mais, depuis la résurrection de Jésus, il est aussi pour nous l'Esprit du Christ. Il mène l'Église comme il a mené la vie de Jésus.

Ces affirmations du Nouveau Testament ne sont pas contradictoires dans la logique des premières communautés qui est davantage existentielle qu'intellectuelle. Les communautés étaient certaines d'être le fruit de l'action de Jésus ; elles avaient aussi la certitude que son action était devenue la leur, grâce à un don nouveau dont elles faisaient l'expérience : celle de la communion après la dispersion, de la rencontre après la mort de Jésus. Rassemblés dans et par l'Esprit, les croyants avaient la certitude d'être le Christ vivant, d'accueillir sa vie pour défendre sa cause, afin de mettre Jésus au monde avec leur chair et leur sang (Rm 8, 2 Co 3-4, etc.).

La réalité de l'Esprit est donc perçue à travers ces expériences dont Paul rend compte quand il écrit : « Le Seigneur c'est l'Esprit » (2 Co 3, 17) : pour lui, vivre du Christ ressuscité, accueillir sa présence et son message, rendre le Christ vivant aujourd'hui est œuvre de l'Esprit. Dans l'action humaine de Paul se joue le dessein de Dieu, parce que l'Esprit de Dieu est à l'ouvrage, formant le Christ en lui (Ga 4, 19), révélant en lui le Fils (Ga 1, 16) et le menant au Père (1 Co 15, 28-29 ; Rm 8, 29). Quand, dans un éclair, Pierre entrevoit qui est Jésus ; quand les actes et les paroles du prophète galiléen lui font pressentir le secret de celui qui l'a appelé, Matthieu fait dire à Jésus : « Cette révélation t'est venue non de la chair et du sang, mais de mon Père qui est dans les cieux » (Mt 16, 17). Le don du Père qui permet d'accueillir le mystère de la filiation divine de Jésus est l'Esprit, si bien que « nul ne peut dire Jésus est Seigneur, si ce n'est par l'Esprit Saint » (1 Co 12, 3). Il est, selon la très juste expression de Karl Barth, « Dieu lui-même, dans la mesure où non seulement il vient à l'homme, mais où il vient en l'homme, où il ouvre l'homme à sa venue ». Il ne parle pas de lui-même : il fait entendre la Parole d'un autre, « lui rend témoignage ». Il est en nous la mémoire vivante de ce qu'a dit et fait Jésus, « prenant de son bien pour nous en faire part », le formant en nous comme un enfant se forme dans le sein de sa mère (cf. Jn 14, 15-17, 25-26 ; 15, 26-27 ; 16, 7-15 ; Ga 4, 19), au point qu'il joint sa voix à la nôtre pour crier : « Père » (Ga 4, 6 ; Rm 8, 15).

Ce don de Dieu est un acte créateur : de l'homme mort et enfermé naît un être nouveau au souffle de l'Esprit qui suscite et ouvre un espace de liberté ; il situe le croyant et Dieu à leur place. Dieu vient au-devant, au cœur de l'homme mais, comme Esprit, il est en même temps celui qui dégage en lui un chemin vers le Père. Sans ce chemin, l'homme ne peut accueillir Dieu ni aller vers lui. Il reste libre de dire oui ou non. Il ne peut créer la lumière qui lui fait découvrir Dieu dans sa nuit, mais il peut la refuser (Jn 1, 9-11).

C'est ainsi que Dieu sort du silence. La Parole proclamée il y a deux millénaires dans l'existence de Jésus, peut être entendue et accueillie. Dieu est reconnu comme l'Autre de l'homme, parce qu'il l'introduit dans sa vie, au sein du mouvement qui dans l'Esprit, par le Fils, conduit au Père (Ep 2, 18).

A l'ange qui lui annonçait que Dieu prendrait corps en elle, Marie a demandé : « Comment cela se fera-t-il ? » L'ange répondit : « L'Esprit Saint viendra sur toi. » Analogiquement, cette réponse vaut pour tout chrétien. Nous nous demandons : « Comment l'homme peut-il entendre et reconnaître le Dieu qui vient ? ». Et nous pouvons répondre : « L'Esprit viendra sur lui. » Il travaillera à faire disparaître les membres du vieil homme pour le créer homme nouveau, homme de l'écoute, homme que la venue de la Parole transforme et en qui se forme le Christ.

Peut-on préciser davantage quel est cet homme nouveau ? Avec l'ensemble de la tradition théologique, nous le caractériserons par trois comportements essentiels : la foi, la charité, l'espérance[8]. Ces trois vertus théologales sont la façon d'être que l'Esprit crée en l'homme pour lui permettre de se laisser transformer par le don que Dieu lui fait de *sa* vie *en* Jésus Christ, de *la* vie *de* Jésus Christ.

L'avènement de Dieu dans la foi

La foi est l'avènement de Dieu en nous, elle est aussi un événement. Par ce terme est souligné qu'elle n'est pas une nécessité de l'existence humaine, mais le surgissement en elle d'une altérité qui vient de Dieu. Nous ne pouvons provoquer la foi car nous n'avons pas prise sur la liberté de Dieu. Mais nous pouvons l'attendre activement, par une existence ouverte. Quand se produit la révélation de Dieu à un être, la Parole lui donne la possisibilité de l'écouter, de se décider pour elle. Cette décision est conversion, en ce sens que sont écartés les obstacles à la venue de la Parole, au sens aussi où le regard et l'écoute se tournent vers celui qui se manifeste.

La Bible a souvent évoqué la transformation de celui en qui fait irruption la Parole de Dieu. Pensons aux vocations des prophètes, à la conversion de Paul, aux récits de la Pentecôte

8. C'est aussi la démarche proposée par A. DARTIGUES, *op. cit.*, chap. V dont je me suis inspiré, parfois de fort près.

dans les Actes des Apôtres, etc. Une expression rassemble ces harmoniques du don de la foi, c'est l'implantation du « cœur nouveau » évoqué par Ezéchiel que je cite à nouveau :

> Je répandrai sur vous une eau pure et vous serez purifiés ; de toutes vos souillures et de toutes vos idoles, je vous purifierai. Et je vous donnerai un cœur nouveau, je mettrai en vous un esprit nouveau (Ez 11, 19-20 ; 36, 25-26).

Comment, en effet, l'homme pourrait-il accueillir l'offre de Dieu, si Dieu lui-même ne le disposait à cette venue, si Dieu lui-même ne lui donnait cette possibilité d'être au niveau de ce qu'il dit ? Les mots sont pauvres pour exprimer ce don de la foi qui « élève l'homme » au niveau de la Parole de Dieu, qui l'adapte au don que Dieu lui fait de lui-même, qui lui permet de capter Dieu, comme on capte un message en se mettant sur une certaine longueur d'onde.

Évoquant cette mise en relation de l'homme avec Dieu, Paul dit qu'elle nécessite une transformation : la foi nous fait revêtir « l'homme nouveau, celui qui, pour accéder à la connaissance, ne cesse d'être renouvelé à l'image de son créateur » (Col 3, 10). La transformation de l'homme en croyant peut sans doute être analysée avec de multiples raisons humaines qui l'intégreront dans l'ordre du connu et des phénomènes explicables. Mais, pour celui qui veille et dont Dieu aura ouvert le cœur, les oreilles et les yeux, cela n'en demeurera pas moins une irruption de l'Autre.

Comme pour la création, comme pour l'incarnation, l'irruption se fait dans la distance. Celui qui se manifeste reste l'Autre, radicalement différent. Dieu ne cesse pas d'être Dieu dans le moment où il est reconnu ; il n'est pas possible de mettre la main sur celui qui se donne et qui s'efface dans le moment même où il est reconnu. La révélation est mise-en-présence, événement intérieur au sein d'une condition fragile. Elle n'est pas révélation d'un ailleurs, si l'on entend par là une extériorité qui situerait Dieu hors de l'homme. Elle est révélation d'une altérité, plus intime à moi-même que moi-même.

Cette proximité de celui qui est Source se vit dans une expérience humaine qui semble se dérouler encore selon ses propres lois. Car la vie nouvelle est une vie cachée. Dieu est proche, mais sa vie qui transforme la mienne ne réduit pas son altérité, et, paradoxalement, la proximité est perçue comme celle d'un être lointain, invisible, sur lequel le monde et le cours de son histoire semblent toujours victorieux. Jusque dans son don le plus intime, Dieu reste le silencieux, celui qui me donne de le chercher sans jamais m'amener à faire l'économie de ma quête : « je suis qui je suis... je serai avec toi ! » Dieu, par l'Esprit qui m'est donné, ouvre en moi un chemin, mais c'est afin que librement je marche à sa rencontre. « Tu ne me chercherais pas, si tu ne m'avais déjà trouvé » faire dire à Dieu Pascal. On pourrait aussi traduire : « Parce que tu m'as trouvé, tu te mets en route pour me chercher. »

Le travail de l'Esprit qui, du côté de l'homme, est œuvre de la foi, s'inscrit dans le temps et l'espace. Dieu qui se manifeste rejoint l'homme dans les conditions de son existence historique. Existence historique de l'humanité : ce fut le don de Dieu en Jésus. Existence historique de chaque être humain : c'est la proposition du don de Jésus à chacun. Examinons les voies humaines où se réalise la rencontre de Dieu et de celui qui naît à la foi, qui naît à Dieu.

La médiation des témoins

Parce que Dieu est Dieu, il ne peut être « appréhendé » par l'homme auquel il se révèle : la proximité la plus intime ne porte pas atteinte à son altérité fondamentale. Inséré dans l'espace et le temps, l'homme ne peut accueillir cette révélation que sous le mode de l'histoire, sous le mode d'un événement — l'événement de la foi — qui le rejoint dans des médiations : médiation d'une tradition qui porte la Parole inscrite dans l'événement historique, Jésus de Nazareth ; médiation de l'existence même de celui qui accède à la foi. Le croyant doit toujours « traverser » ces médiations, si je puis dire, pour reconnaître au-delà et dans ce qui se donne à voir, à toucher, à entendre, la trace du Dieu invisible et Autre qui s'est fait proche.

Quel langage interpellera l'homme appelé à croire ? Parce que la foi est remise totale de son être à Dieu qui se manifeste, l'homme ne pourra accueillir l'événement de la foi comme une information ordinaire. Venant de Dieu, bouleversant les êtres, la foi ne peut être vécue que comme un événement inattendu, comme une expérience originale. Son annonce ne peut donc se faire que par l'intermédiaire de *témoins* et sous le mode de la proclamation. Celui qui est transformé témoignera de la Parole par une existence qui la rendra vraie et crédible, qui la « vérifiera ».

Illustrons par un exemple le cours des médiations empruntées par la Parole pour rejoindre tout homme. Le soir de

Pâques, selon saint Jean, les disciples vivent la rencontre du Ressuscité comme une réconciliation avec celui qu'ils avaient abandonné, auquel ils avaient cessé de croire. La bonne nouvelle de la résurrection et de la réconciliation universelle leur parvient dans leur propre existence réconciliée avec Dieu. C'est au titre de cette expérience qu'ils sont eux-mêmes constitués témoins et messagers de la réconciliation. Et le récit s'achève tout naturellement par un envoi en mission (Jn 20, 19-22). Nous pourrions également faire appel au témoignage de Paul : sa prédication de la gratuité infinie de Dieu qui met fin à la Loi peut s'élaborer à partir d'une savante réflexion à la manière des rabbins sur la relation du Christ à Abraham (Ga 4) ; mais fondamentalement sa propre vie est la terre où germe cette parole : il a vécu, lui le pharisien, la fin de la Loi en découvrant que Dieu lui faisait grâce et, sans aucun mérite de sa part, lui révélait son Fils qu'il combattait en persécutant les chrétiens. Parce qu'il a été réconcilié avec Dieu, peut lui être confié « le ministère de réconciliation » (2 Co 5, 18).

Incarnée dans l'existence de Jésus de Nazareth, la Parole de Dieu qui pardonne aux hommes et les restaure dans sa communion, sort vivante du tombeau et prend corps dans la communauté des disciples : ils vivent le pardon. Sous l'action de l'Esprit, qui prend « ce qui appartient au Christ » pour en faire part aux siens, et qui rappelle « tout ce qu'a dit Jésus » en paroles et en actes, la communauté ressuscitée devient parlante par le témoignage de sa vie. La Parole vivante et incarnée de Dieu, c'est-à-dire l'Évangile vécu de Jésus, est ainsi mise au monde, elle se fait signe et fait signe dans les paroles et les gestes des croyants, ici et maintenant.

Si la Parole nous a rejoints, c'est *grâce* (et il convient de donner à ce mot son sens fort) aux nuées de témoins en qui elle a pris chair depuis des siècles, grâce à ceux qu'elle a suscités et rassemblés comme son corps historique.

Parce qu'elle nous parvient dans des médiations historiques, la Révélation nous est proposée comme « un trésor dans un vase d'argile », et notre regard peut se laisser arrêter par l'argile. Le vieil homme, alors, ne reconnaîtra pas le trésor (2 Co 4, 7 ; 1 Co 2, 4-5). Mais si notre propre argile se laisse pétrir par les doigts de l'Esprit, l'homme nouveau en nous reconnaîtra le trésor : l'Esprit en nous reconnaîtra son œuvre enfouie dans les autres. Constamment nous retrouvons le Dieu proche se donnant dans la distance ! Notre foi doit veiller pour reconnaître dans l'épaisseur des ténèbres la lumière cachée, pour dépasser sans cesse l'apparente évidence de notre monde proclamant l'absence, afin de saisir l'invisible présence.

Étant corps et esprit, notre décision de croire se réalisera dans les gestes et les paroles de notre existence. Le baptême est la célébration de cette rencontre entre Dieu et un croyant. Portée de génération en génération par des témoins, la Parole rejoint l'homme par une proposition d'Église, dans un langage formé par une Église à travers les âges. Le croyant adhère à la Parole en entrant dans la communauté qui porte la Parole et qui est portée par elle. Telle est la signification du premier sacrement chrétien par lequel quelqu'un se décide « pour le nom de Jésus », selon l'une des plus anciennes formules baptismales rapportées par le Nouveau Testament (Ac 8, 16 ; 19, 5). « Pour le nom de Jésus, pour sa cause » : le baptisé décide de rendre son existence solidaire de celle de Jésus.

Comme en d'autres religions, le rite de l'eau signifie une purification, le retour à une origine, à un commencement, telle une naissance. Mais, dans le cas de la symbolique chrétienne, l'accès au commencement ne situe pas le baptisé de façon imaginaire, en deçà de sa première naissance, dans le flot des eaux primordiales qui le dispensent de la mort. Le chrétien fait de Jésus Christ son nouveau commencement : l'origine dans laquelle est situé le baptisé est une existence historique. De la sorte, par ce rite de l'eau, le croyant ne fuit pas sa condition mais, faisant sienne la cause du Christ, il accepte de placer sa vie sous le signe de la croix, c'est-à-dire *de la pratique historique de Jésus.* Le baptême ne dispense pas de la mort, il ne sauve pas automatiquement par le recours aux « eaux du salut », il insère dans une histoire : l'histoire du croyant devient signe et mémoire vivante de celle de Jésus à qui elle donne un nouveau corps. Le baptisé espère en la vie éternelle parce qu'il sait, dans la foi, que le destin historique de Jésus a traversé la mort. C'est ce destin qu'il adopte et auquel il s'engage, et cet engagement se traduira par une vie où l'amour va jusqu'à la mort, avec espérance, car Jésus que l'on suit, à cause de la vie qu'il a menée, n'a pas été retenu au séjour des morts. La décision du baptisé est donc un engagement à faire du OUI de Jésus le OUI de sa vie, un *Amen,* c'est-à-dire un « Je crois » (2 Co 1, 19-20).

Dieu présent dans l'amour

Dieu se révèle, mais sa proximité le manifeste radicalement autre. Dans l'expérience des chrétiens, cette distance, qui marque non l'éloignement mais l'infinie différence, prend des formes diverses : accueil de Dieu dans la foi mais aussi dans la fragilité et l'obscurité, vie cachée avec Dieu mais aussi cheminement de l'homme pécheur en ce monde marqué par la mort... Dans l'action du chrétien, cette différence se caractérise également par un paradoxe. Parce que l'Esprit est donné, parce que les hommes, grâce au don de la foi, sont en relation avec Dieu, l'action du chrétien devra dire l'aujourd'hui du salut de Dieu. Mais, pour le chrétien, témoigner de l'altérité de Dieu ce sera aussi vivre dans l'attente de ce qui n'est pas encore. Reprenons successivement ces deux formes contrastées et pourtant inséparables de l'existence chrétienne placée à la fois sous le signe de l'amour et de l'espérance.

La foi est une création de l'Esprit au cœur de l'homme qu'il façonne à l'image du Christ. En ce sens, par la foi l'homme est appelé à vivre l'éternel aujourd'hui de Dieu. C'est un donné intangible de l'expérience chrétienne. En cela nous rejoignons le témoignage des disciples rattachant intimement, comme leurs contemporains, le don de l'Esprit et l'avènement des derniers temps. Leur expérience pascale se nourrit de la conviction qu'en Jésus ressuscité, Dieu s'est donné tout entier aux siens. C'est pourquoi il n'y a plus d'après possible. C'est « le temps de la fin ». Les chrétiens peuvent aujourd'hui vivre le présent de Dieu comme ce don dernier, sans nécessairement faire leurs les représentations eschatologiques des premiers disciples. Certes, cet événement de la fin a une dimension collective, car Dieu se donne à un peuple de croyants, à la multitude de ceux qui sont appelés à se tenir ensemble à la table du Royaume ; et ceci n'est pas encore pleinement manifesté dans le cours fluant de notre histoire. Mais il y a dans le don de la foi un aujourd'hui véritablement « caché avec le Christ en Dieu », selon l'heureuse formulation de Paul, souvent citée. Cela marque un point définitif, même si nous le vivons dans l'obscurité de notre cheminement, et non dans la gloire.

Les récits évoquant l'expérience pascale des disciples soulignent que Jésus ressuscité se communiquait librement aux siens. Tout croyant a la possibilité de vivre cette expérience en se situant, dans la foi — mais les disciples aussi devaient croire pour voir — sous ce regard : Dieu n'est plus lointain mais proche, inséparablement solidaire des hommes jusque dans la mort. Vivre l'aujourd'hui de l'Évangile, c'est déjà vivre ce face à face avec le Père *dans la prière,* à l'exemple de Jésus dont les journées de labeur au service des autres naissaient au sein de ce dialogue :

> Au matin, à la nuit noire, Jésus se leva, sortit et s'en alla dans un lieu désert ; là, il priait... (Mc 1, 35).

> Pour toi, quand tu veux prier, entre dans ta chambre la plus retirée, verrouille ta porte et adresse ta prière à ton Père qui est là dans le secret (Mt 6, 6).

La filiation ne se dévoile pas seulement dans la découverte d'une même fraternité dans le Christ, elle se donne peu à peu, au long d'un dialogue, au secret et dans l'obscurité de la prière, « à la nuit noire ».

Le déjà-là du salut de Dieu ne se livre pas seulement dans le secret de la prière. Jésus s'est livré aux foules pour y témoigner, de façon effective, de l'amour que le Père porte à tous les hommes. Si le chrétien désire mettre au monde l'Évangile, il doit inscrire cet amour en son monde quotidien. Dans son être-au-monde, il dit l'*actuel* amour de Dieu. Collectivement, les croyants devraient être le signe de ce déjà-là de l'amour créateur de Dieu pour tous. Car, en définitive, l'Évangile est d'abord une pratique de l'existence caractérisée par le service des autres et la lutte pour la libération des opprimés. Qu'on le veuille ou pas, il y a là une priorité évangélique incontournable, et toute Église, tout groupe de chrétiens se doivent d'exprimer leur relation à Dieu dans cette proximité à l'égard des petits.

Refrain connu, rebattu ! C'est vrai, et je n'ai pas l'intention de m'attarder longuement sur des analyses nécessaires, mais déjà bien faites en ce domaine. « Changer le monde » est « une tâche pour l'Église[9] ». L'aujourd'hui du salut de Dieu pour l'Église consiste à vivre l'amour pressant du Christ pour tous les hommes dans la dimension internationale et planétaire qui est la nôtre. Si véritablement être sauvé consiste, pour un homme, à vivre tous les Droits et toutes les dignités de l'homme, l'Église doit s'adonner à cette tâche, se faisant ainsi la servante de la cause du Christ, ce qui est sa seule raison d'être. Je le dirai, la tâche chrétienne ne s'épuise pas dans ce service d'autrui, à commencer par les déshérités et tous les damnés de la terre, mais c'est là son espace humain, le seul évangélique.

Sur ce point le Nouveau Testament, au célèbre chapitre 25 de Matthieu, ne laisse aucun doute possible : « J'ai eu faim et vous m'avez donné à manger, j'ai eu soif et vous m'avez donné à boire... » Le Ressuscité prononcera ces paroles quand le moment sera venu de recueillir la richesse évangélique des existences. Alors les justes répondront : « Seigneur, quand

9. C'est le titre d'un ouvrage de V. COSMAO, Cerf, 1979, où se trouve, justement, ce type d'analyses.

nous est-il arrivé de te voir affamé et de te nourrir, assoiffé et de te désaltérer ? » Le Roi dira alors : « En vérité, je vous le dis, dans la mesure où vous l'avez fait à l'un de ces plus petits de mes frères, c'est à moi que vous l'avez fait » (Mt 25, 34-40). Certains, et ils sont foule, ignorent que Jésus est avec le pauvre, qu'il est le pauvre. Il suffit à Dieu que l'homme ait nourri son frère, pour l'introduire dans son Royaume. Alors celui qui a donné, celui qui s'est donné, découvre qui il a nourri en rassasiant son frère. L'urgent est que l'Évangile soit vécu et devienne effectivement une heureuse nouvelle pour celui qui est méprisé, sans amour et sans espérance. Ce ne sont pas ceux qui crient « Seigneur, Seigneur » qui entrent dans le Royaume, ni ceux qui ne font que spéculer sur Dieu, mais ceux qui font la volonté du Père.

Cette volonté, nous la contemplons dans la vie de Jésus : faire la volonté de Dieu, vivre Dieu, c'est préférer la vie des autres à la sienne propre, unir en un seul acte d'amour Dieu et le prochain, crier « Mon Dieu » en donnant sa vie pour ceux qu'on aime — y compris l'ennemi. Tel est le lieu où Dieu se dit et se donne : sur la croix, nous avons contemplé sa gloire ! Telle est la conduite à travers laquelle les hommes, imperceptiblement, mettent leurs pas dans la trace des pas de Dieu, et perçoivent quel est celui avec qui ils marchent. Jésus n'a pas révélé Dieu en parlant uniquement de son Père, mais d'abord en vivant, face à son Père, l'amour des hommes. Pour lui, parler de Dieu, c'était vivre passionnément pour la justice : ainsi s'inscrivait dans le plein jour de son existence la trace de celui qu'il appelait Père dans l'intimité de ses nuits de prière.

La méditation du mystère du Christ se dénature dès qu'elle est isolée de l'annonce effective et concrète de son Royaume. La prédication du mystère du Christ par l'Église se dénature, dès qu'elle cesse d'être annonce effective et concrète du Royaume, effectuation concrète de ce Royaume. C'est ce que nous voyons dans la présentation que Luc nous propose de la communauté des origines, où l'Évangile prend corps dans une Église qui met les biens en commun, unissant dans un même geste et dans une même célébration le service du pauvre et la fraction du pain reçue du Seigneur (Ac 2, 42...)[10]. Comment aujourd'hui une Église peut-elle prétendre annoncer l'amour du Christ, sans chercher en même temps à vivre le service, et non la domination aux allures triomphantes ?

---

10. Voir Ch. PERROT, *op. cit.*, p. 301-304.

Il est exigeant d'être le « corps parlant » du Seigneur. Là encore, Dieu se donne en s'effaçant : dans l'Église la Parole est sans cesse cachée par l'argile de l'humanité qui la porte.

Dans l'espérance du Royaume

Dieu est présent. L'Esprit nous donne de l'accueillir maintenant, il donne à l'homme de foi de témoigner parmi ses frères de cet aujourd'hui de l'amour du Vivant, et de traduire concrètement dans l'histoire, de façon sociale et politique, la solidarité que Jésus de Nazareth a nouée, au nom de Dieu, avec ceux que les hommes bafouent et tiennent à l'écart de leur providence bien à eux et bien humaine. Pourtant le message et l'action évangéliques ne s'épuisent pas dans ces tâches humaines, si essentielles puisqu'elles sont l'espace même de la rencontre de Dieu.

C'est le paradoxe fréquemment rencontré. Limiter l'accueil de Dieu à l'accueil de l'autre, ce serait mettre la main sur Dieu, éliminer la différence qui existe entre Dieu et l'homme, ce serait gommer de la vie de Jésus le fil d'or de sa relation au Père. Certes le premier commandement (amour de Dieu) est semblable au second (amour du prochain) : celui qui prétend aimer Dieu qu'il ne voit pas et hait son prochain qu'il voit, est un menteur (1 Jn 4, 20), mais la rencontre de Dieu n'est pas au bout des efforts de l'homme qui doit toujours attendre Dieu : il ne peut se donner Dieu, il peut l'accueillir, ou le refuser, jamais se le donner. L'ouvrage de l'espérance, dans une existence de croyant, est de maintenir toujours ouvert « un espace pour Dieu », un horizon toujours plus large que celui de ses tâches. Le Règne de Dieu se trouve au-delà de nos « œuvres », car il est « de Dieu », de Dieu qui vient, et, de ce point de vue, il n'est pas de ce monde.

Mais il existe un rapport entre le déroulement de l'histoire et la venue du Règne de Dieu : Dieu s'est engagé aux côtés des hommes qui font l'histoire, et l'avènement du salut en Jésus, homme de notre race, montre bien que c'est au cœur de l'histoire que s'incarne l'alliance de Dieu avec sa création. Il y aurait toutefois quelque naïveté à imaginer la venue du Règne comme celle d'un point Oméga parachevant une histoire humaine en constante évolution. Si l'ensemble de l'aventure humaine doit s'accomplir dans le Royaume — mais sous la forme d'une transfiguration — nous ignorons comment cela s'effectuera. Sera-ce au terme d'une histoire devenue communion harmonieuse des peuples entre eux ? Sera-ce au terme d'un cataclysme que l'homme aura suscité (car il en a les moyens) ? L'espérance du Royaume ne donne aucune information à ce sujet ; Jésus a refusé lui-même d'entrer dans ce genre de considérations (Mt 24, 36). Mais on se gardera d'éliminer trop vite pour l'humanité un passage par la mort. Pour chaque homme, en tout cas, la venue de Dieu ne dispense pas de mourir.

La Bible nous invite à la modestie. L'action libératrice de Dieu s'est toujours manifestée dans le paradoxe, ce qui, à ce point de notre cheminement, n'est plus pour nous surprendre. L'action de Dieu ne s'est jamais arrêtée à des objectifs purement historiques. Dieu a libéré son peuple d'Égypte, c'est vrai, et cette libération a un caractère politique, mais la sortie d'Égypte conduit le peuple au désert, à la rencontre de Dieu sur le mont Sinaï. Dieu a donné à son peuple une terre, mais il l'a invité à le rencontrer dans la dispersion de l'Exil. Dieu est venu habiter dans un temple, mais par Jésus il fait reconnaître sa présence dans l'amour du prochain, car, de temple « il ne restera pas pierre sur pierre » (Mt 24, 1-3). Dieu s'est constitué une nation dirigée par un roi, mais le peuple que Dieu rassemble est celui de tous les dispersés et de tous les perdus ; le trône de son Roi-Messie est le gibet d'un crucifié.

« Va, quitte ton pays ! » La libération promise par Dieu est celle de l'Exode, de l'Exil, du silence, de l'ouverture des mains qui laissent glisser au sol et se briser toutes les idoles : celles du Sacerdoce (et le voile du temps se déchire), celle de la Royauté (et l'élu meurt comme un maudit)... Seul Dieu s'offre à la rencontre et à l'adoration.

Ne risquons-nous pas, alors, de sombrer dans un spiritualisme désincarné ? Non ! car s'il est un enseignement qu'on doit sans cesse recueillir de la Bible c'est que Dieu fait sienne la cause des hommes ; il se montre solidaire de ceux qu'il a appelés à la vie et qu'il convie à sa vie. Parmi eux, il s'est lié de façon privilégiée aux opprimés. L'option concrète de Jésus devrait nous garder d'oublier que l'espace de la rencontre du Dieu vivant est l'espace de liberté que nous ouvrons non seulement en nous mais aussi devant nos frères perdus.

Pourquoi une telle option de Dieu ? Parce que Dieu est Dieu, nous ne pouvons dire le pourquoi. Parce que Dieu est amour et parce qu'il est la vie, nous pressentons que Dieu se manifeste là où la vie et l'amour sont menacés, bafoués. Alors la puissance du Vivant se manifeste dans la faiblesse.

Par la foi, Dieu nous donne de le reconnaître. Par l'amour, Dieu nous donne de l'aimer et d'inscrire cet amour dans le quotidien, dans l'espace social et politique des nations devenues proches. Par l'espérance, Dieu nous donne de l'attendre, de ne mettre la main ni sur lui ni sur ceux que nous aimons ; il maintient ouvert un espace pour lui, et nous apprend à donner notre vie, sans retour. Ainsi se forme en nous, au long du chemin de notre foi, chemin d'homme et chemin de croyant, le Christ, le Fils du Dieu vivant. Dans l'espace ouvert à Dieu et à autrui marche un homme, fils de Dieu, qui s'avance à la rencontre du Père.

Quand les premiers disciples confessent que Jésus est Fils du Dieu vivant, ils accueillent en lui celui qui réalise les promesses faites par Dieu à son peuple qui est leur peuple. L'Esprit qui les rassemble de la dispersion autour du Ressuscité et les investit du message du Prophète de Nazareth pour qu'ils le portent aux extrémités de la terre, leur fait percevoir que celui qu'ils avaient suivi est l'Élu, la Parole même de Dieu, le Fils.

Aujourd'hui les hommes parlent moins de Dieu. En Occident, l'avènement des sciences humaines et le cheminement de la pensée philosophique ont modifié notre regard. La création ne chante plus la gloire de Dieu. La quête des humains s'exprime toujours en terme de bonheur, mais c'est un bonheur pour ici-bas, et non un « salut éternel ». Devenu inutile, Dieu est oublié. C'est le temps du silence.

Paradoxalement pour une époque qui décrète la mort de Dieu, ce silence nous place sous le signe de l'Ascension, de l'effacement de Dieu. Dieu n'est pas une créature, il n'est pas le premier de la chaîne des causes qui font avancer le monde. Le monde est autonome : il a ses propres lois internes, et il peut, en effet, se passer de Dieu. Le silence de Dieu n'est pas la mort de Dieu mais la fin des faux dieux, la fin des idoles et de toutes les sacralisations par lesquelles les hommes tentent de s'assurer la domination en prétendant tirer leur pouvoir d'un Dieu omniprésent dans les institutions, les morales, les idéologies. Ce silence met fin à la mainmise sur Dieu, il rend l'homme à son propre destin, à sa responsabilité d'édifier l'histoire, de servir la vie qu'il a reçue en la partageant. Il est ainsi image de Dieu, mais autre que Dieu.

Dieu n'est pas de ce monde, mais il se manifeste à nous qui sommes dans le monde : sa Parole surgit au cœur de notre condition dont elle a emprunté les chemins, portée par un peuple. Elle fut mise au monde en un point de notre temps, quand elle est devenue l'existence concrète d'un homme, Jésus de Nazareth, visage humain de Dieu. Afin de pouvoir rejoindre chaque homme en tout point de l'espace et du temps, la Parole s'est enfouie dans l'histoire, dans des groupes humains qui l'ont reçue et se sont laissés façonner par elle. Ainsi Dieu se manifeste-t-il à nous grâce à des témoins qui sont l'Église vivante dont l'histoire est le cheminement de la Parole. Dieu s'adresse à nous par des existences humaines qui se sont librement décidées pour Jésus Christ, faisant leur sa cause. Comme dans l'humanité de Jésus, où le Tout Autre se fait le Tout Proche, si accessible qu'il peut être livré aux pécheurs et bafoué, la Parole nous rejoint, portée par la fragilité d'existences humaines, et elle nous est aussi livrée, remise.

Si Dieu vient faire chez nous sa demeure, ce n'est pas pour travailler à notre place dans notre métier d'homme. L'homme fait, comme il le peut et dans l'épaisseur de sa chair, ce métier d'homme. Les peuples savent qu'ils ont à édifier ensemble une humanité plus fraternelle où chacun pourra mieux vivre des droits de l'homme ; les peuples savent qu'ils ont à lutter contre leurs péchés, contre la domination de certains qui, pour protéger ce qu'ils considèrent comme un droit au confort — sous le couvert de la liberté — s'arrogent le droit d'asservir par la faim une grande partie de leurs frères. Cette lutte est la tâche de l'homme.

Si Dieu vient, c'est d'abord pour révéler son visage. Et parce qu'il est amour, liberté, grâce, ce visage prend historiquement les traits d'un homme qui donne sa vie pour ceux qu'il aime. La geste de Dieu se coule naturellement dans la lutte en faveur des mal aimés, des laissés pour compte. La solidarité de Dieu avec les plus pauvres n'est pas d'abord une leçon de morale qu'il fait aux nantis ; elle est le chemin obligé de la révélation d'un Dieu qui est Amour.

Que cette révélation bouleversante, perçue à travers des témoins à la vie donnée, soit l'occasion d'une prise de conscience des exigences de notre humanité, qu'elle dissipe des ténèbres au long de notre marche souvent aveugle et ignorante du prochain, quoi de plus normal ? Dans une vie, toute rencontre un peu forte conduit à transformer sa façon d'exister, car la présence d'un autre réveille les somnambules que nous devenons souvent. En ce sens, la rencontre de Dieu est pour nous un salut, car elle recèle la possibilité d'éveiller les êtres inattentifs que nous sommes. Mais si Dieu se manifeste, c'est pour se donner, lui, et sa venue ouvre en nous un espace pour l'accueillir. Par-delà les témoignages, malgré toutes les rides et les déformations de son visage, malgré son péché, l'Église — à ne pas identifier à son lourd appareil ecclésiastique — nous met au contact de cette Parole grâce aux hommes et aux femmes en qui elle a pris racine. A travers eux, un Visage sollicite notre liberté au plus profond de nous-mêmes. Participant à cette vie d'Église, faisant nôtre ce témoignage, devenant à notre tour mémoires vivantes de Jésus, acteurs et auteurs de ses gestes de partage, nous percevons, sans que nos mots puissent traduire adéquatement ce qui est par moment pressenti, que Dieu est un Père, engendrant en nous une nouvelle existence : il nous fait naître à une vie « chrétienne ».

Dans la fragile fraternité sans cesse à établir, et parce que nous cherchons à vivre ensemble l'Évangile de Jésus, Christ se met à vivre entre nous, Christ se forme en nous. Dans l'espace fraternel libéré par l'Esprit, se réalise entre nous et en nous la révélation du Fils. C'est pourquoi nous osons dire : « Notre Père... »

CONCLUSION

Au début de notre parcours, je rappelais que les chrétiens se définissaient spontanément par une confession de foi au Christ. Il est vrai que le nom de chrétien vient de Christ. Mais nous avons vu, chemin faisant, que la foi caractérise une certaine façon d'être : croire, c'est engager toute son existence dans le sillage de Jésus de Nazareth, se laisser façonner par son Esprit pour écrire en Église et avec nos frères l'actuel Évangile du Fils de Dieu.

Les Églises — notamment leurs autorités — sont souvent soucieuses de l'orthodoxie des formulations de la foi. L'attitude de Jésus et la façon dont son mystère s'est dévoilé aux siens, montrent que ce souci, pour nécessaire qu'il soit, ne suffit pas. L'exigence fondamentale pour un chrétien, comme pour l'Église, n'est pas d'abord l'adhésion à des énoncés de la foi, aussi vénérables et chargés d'histoire qu'ils puissent être, mais l'annonce effective — et existentielle — de l'Évangile.

Dans l'évangile de Jean, la première parole de Jésus à ceux qui le suivent est : « Que cherchez-vous ? » Le premier mot du Christ johannique est un appel à notre quête la plus profonde. Quand Dieu vient parmi les hommes, il se met à l'écoute de leurs aspirations. Puis il offre sa présence. Il ne dit pas son nom, ne s'enferme pas dans une définition. Il ajoute simplement : « Venez et voyez » (Jn 1, 38-39).

Nous sommes les héritiers de ce Jésus-là. Les Églises ont la redoutable mission de donner corps à son Évangile, d'être pour les hommes cet espace où il est permis de chercher, et où l'on peut « venir et voir » l'offre de Dieu. Devant une telle affirmation, notre premier réflexe est sans doute une surprise. Quel rapport y a-t-il entre l'itinéraire du prophète nazaréen et la pesante marche ecclésiale, entre la barque de Pierre et le paquebot catholique aux lourdes superstructures ? Ici encore Dieu se donne dans la distance. Ne prenons pas la partie pour le tout en confondant les structures et l'Église. L'Église vivante est cette tradition des saints qui se sont laissés ensemencer par l'Évangile, elle est aussi cette multitude de pécheurs que nous sommes, chaque jour appelés à la conversion. Que notre foi ait le regard suffisamment aigu pour pénétrer au secret du peuple de Dieu qui, fidèlement, lutte pour la libération des opprimés, et refait à son compte l'itinéraire prophétique de Jésus et l'itinéraire pascal des disciples. Ainsi est gardée la Parole, la bonne nouvelle, ou plutôt c'est ainsi que la Parole ressuscitée, portée par le souffle de l'Esprit, garde le peuple de Dieu, lui montrant les traces de celui qui est le chemin de notre foi.

> Il n'est qu'un chemin, le mien, le vôtre, éclairé par l'Évangile et l'Église, servante de l'Évangile. Que l'Église ait foi en Dieu, Jésus-Christ. Qu'elle devienne transparente. C'est assez. Qu'elle en vive. Cela se saura[1].

ÉGLISE, QUE FAIS-TU DE TON CHRIST ?

1. Jean SULIVAN, *Matinales,* Gallimard, 1976, p. 61.

ANNEXE DOCUMENTAIRE

La rédaction de cet ouvrage est dépourvue de technicité. Ce n'est pas une concession faite à des lecteurs « profanes ». Il nous est tous arrivé de constater, étonnés, au cours d'une conversation familière, que nous venions d'exprimer sur nous-mêmes des vérités profondes qu'aucune lecture savante ne nous avait encore permis de découvrir. En prenant le parti d'exprimer à des croyants ce que sont les grandes lignes de la théologie où se dit ma foi au Christ, je me suis donné l'occasion, sous le mode du partage, de mieux faire mienne la Parole qui m'est dite en Église, et au cœur de multiples relations humaines. Je suis en quelque sorte le premier bénéficiaire du livre que je viens d'écrire.

Le respect du lecteur requiert cependant que je donne quelques-unes de mes références théologiques ; il pourra mieux situer l'horizon et les limites de ma réflexion en percevant ses tenants et aboutissants. C'est l'objet de la première partie de cette annexe. La seconde donnera des informations qui permettront de vérifier, de prolonger ou, éventuellement, de corriger l'apport biblique sur lequel repose ce travail.

UN PARCOURS CHRISTOLOGIQUE

Comme le sujet de ce livre se trouve au centre de la réflexion chrétienne, on ne s'étonnera pas qu'il ait été traité auparavant de multiples façons, souvent très expertes. Et pourtant... Même quand un chemin a été parcouru de nombreuses fois par d'autres, le marcheur qui ne l'a pas emprunté désire aussi s'y engager ! Le livre a proposé trois itinéraires au lecteur ; mais il balise aussi le parcours de l'auteur, un parcours théologique commencé depuis plus de vingt ans.

Le discours que j'ai élaboré s'est formé peu à peu en fonction des enseignements, au gré des lectures comme au fil des discussions et échanges de tous ordres, du débat public à la conversation familière et exigeante sur mes raisons de croire. Après ces années, il ne m'est pas possible de discerner sûrement ce que j'ai emprunté à d'autres, de ce qui vient plus directement de moi. J'ai surtout le sentiment d'avoir beaucoup reçu au sein de ces multiples dialogues, qui sont une figure de l'Église, où la Parole se donne en circulant de l'un à l'autre, riche du mystère du Christ et de ce qu'il engendre d'original en chacun.

J'ai essayé de retrouver les chercheurs à qui je devais le plus et dont la trace est certainement inscrite dans la trame de ce livre. Je vais énumérer quelques noms. Ce n'est pas dans le but de dresser un palmarès, mais pour rendre à chacun ce qui lui revient, même s'il a du mal à le reconnaître dans l'usage que j'en ai fait. Il sera facile de replacer ces théologiens dans un contexte plus large, à l'aide du livre de A. SCHILSON et W. KASPER, *Théologiens du Christ aujourd'hui,* coll. « Jésus et Jésus-Christ », Desclée, 1978.

Six théologiens ont plus particulièrement orienté mes pas en christologie : K. RAHNER, W. PANNENBERG, J. MOLTMANN, Ch. DUQUOC, J. POHIER et A. DARTIGUES. Ce voisinage, parfois insolite, n'a d'autre explication que mon propre cheminement.

De K. RAHNER, je retiens l'effort pour sortir les catholiques d'un discours dogmatique figé depuis des siècles dans les commentaires à répétitions du concile de Chalcédoine. Au langage d'une métaphysique, il a substitué une pensée permettant de lire de façon nouvelle le devenir de Dieu en Jésus Christ, et de situer l'incarnation dans le cadre d'une réflexion anthropologique actuelle. Avec Rahner, la christologie catholique rejoignait la pensée du XXe s. où elle était depuis longtemps devancée par les protestants.

W. PANNENBERG (*Esquisse d'une christologie,* Cerf, 1971) et J. MOLTMANN (*Théologie de l'espérance* et *Le Dieu crucifié,* Cerf, 1973 et 1974) sont les héritiers d'une tradition protestante extrêmement riche, et dont les pionniers furent, en notre siècle, K. Barth et R. Bultmann. Contrairement à la tradition théologique catholique, ces courants de recherche n'ont jamais perdu le contact avec la Bible et la pensée philosophique, ce qui explique qu'ils sont à l'origine de l'essor théologique contemporain. Avec Pannenberg d'abord, puis Moltmann, la réflexion christologique s'est résolument centrée sur la résurrection de Jésus, dont la signification eschatologique fut mise au premier plan. Un terrain commun s'ouvrait devant la recherche biblique et la réflexion théologique : un joint était trouvé pour articuler l'histoire de Jésus et la nôtre. Dans la mesure où une réflexion sur le sens et le destin de l'histoire était engagée en christologie, il devenait possible de dire à la fois l'originalité et la signification universelle de Jésus le Christ. En outre, l'ouverture de la christologie à la philosophie de l'histoire, permit de donner des clés de lecture pour comprendre la tâche des chrétiens dans le monde (surtout J. Moltmann, et J.-B. Metz chez les catholiques, et depuis H. Küng, E. Schillebeeckx et d'autres). Le souci constant — souvent exprimé dans ce livre — de relier le contenu de la foi à une pratique de l'Évangile est né sans doute de ma pratique confortée par les réflexions des théologiens que j'ai nommés. L'effort tenté par Moltmann d'unir la théologie la plus engagée à la réflexion la plus haute sur Dieu Trinité donne du souffle à la théologie !

Ces grandes élaborations systématiques avaient un peu laissé dans l'ombre le déroulement concret de l'histoire de Jésus. L'apport de Ch. DUQUOC (*Christologie : le Messie,* Cerf, 1972, et de façon plus restreinte *Jésus homme libre,* Cerf, 1973) se situe là : Pannenberg a centré toute sa réflexion sur la résurrection, Moltmann a élargi le foyer jusqu'à la croix. Duquoc intègre au centre l'ensemble de la vie de Jésus, parce qu'il réussit à articuler de façon rigoureuse la résurrection du Christ et le type d'existence qu'il a menée. C'est le *Crucifié* qui ressuscite : il existe une relation intime entre les options qui l'ont fait condamner et sa destinée de Glorifié. Parmi ces options, soulignons en particulier ce que Duquoc appelle l'anti-messianisme de Jésus, c'est-à-dire son refus de s'engager dans la voie des désirs humains projetant sur le Messie leur soif de domination et de puissance. Ce que j'ai dit du silence de Dieu et de l'Ascension — où les disciples se voient tracer une route semblable — doit certainement beaucoup à ce théologien.

L'attention constante à ne pas faire de Dieu une création de nos désirs : celui que nous voudrions être, ou celui qui nous permettrait d'accéder à nos rêves, est due, il va sans dire, à l'apport de la psychologie. Le dialogue que J. POHIER a ouvert en lui et dans ses livres entre le psychologue et le théologien a été fondamental dans mon cheminement. Un donné essentiel de la foi a été pour moi remis en lumière par ses recherches : ce que l'homme doit attendre de Dieu, c'est Dieu lui-même ; dès maintenant le croyant est invité à accueillir ce don, en cette vie de la terre. Ceci est, somme toute, très traditionnel... mais aussi oublié. Je me suis approprié à nouveaux frais ce donné de la foi grâce aux travaux de Pohier, y compris son livre *Quand je dis Dieu,* Seuil, 1977.

Je ne fais pas miennes les positions de cet auteur sur ce qu'il appelle la « re-surrection » de Jésus, ni son refus d'intégrer dans le discours croyant un au-delà de la mort pour les êtres contingents que nous sommes. Je me suis laissé interroger par ses exigeantes réflexions, et mon désaccord sur un point — fondamental, il est vrai — ne m'a pas empêché de percevoir toute la richesse de l'œuvre. Dans la dernière partie de ce livre, j'ai essayé de dire comment j'intègre dans ma foi la conviction de notre destinée de ressuscités, sans pour autant ignorer les questions radicales posées par ceux qui se méfient — non sans raisons — de la puissante stratégie de nos désirs. Je suis récemment parvenu à argumenter ma position sur ce point, grâce à un ouvrage d'apparence modeste, dû à A. DARTIGUES, *Le croyant devant la critique contemporaine,* Centurion, 1975, dont les fondements philosophiques m'ont donné des appuis. La troisième partie, « L'itinéraire des chrétiens », doit beaucoup à cet auteur, notamment à ses considérations sur l'événement de la foi et sur l'altérité de Dieu, thème qui n'est plus original (cf. l'œuvre de G. Morel, celle de P. Labarrière, etc.), mais dont Dartigues a dégagé certains prolongement théologiques avec beaucoup de clarté.

Je viens de citer des noms et des ouvrages. Ce que j'ai reçu d'eux, et de bien d'autres, est parfois devenu tellement mien, que ces auteurs, à supposer qu'ils lisent ces pages, ne s'y reconnaîtront sans doute pas. Les lecteurs se garderont de les juger sur ce qu'ils m'ont aidé à penser et à dire, même si une note indique que je me tiens proche d'une source.

Les soubassements bibliques

Ce livre a privilégié l'approche biblique des questions. Je me suis situé dans le cadre d'une lecture historico-critique des textes. Ce type d'approche s'intéresse particulièrement à la formation des écrits et à leur rapport à la vie des communautés qui les ont produits. Il est complété aujourd'hui par l'analyse structurale. Les traductions contemporaines de nos bibles et leurs annotations sont le fruit de l'exégèse historico-critique.

Dans l'Église, au seul mot de recherche, certains se croient introduits dans le champ peu sûr des hypothèses, et trouvent là prétexte à conserver la lecture naïve des textes, celle que j'ai souvent appelée « anecdotique ». En réalité, il est des acquis qu'il n'est plus permis d'ignorer. Les textes du Nouveau Testament sont vieux de deux mille ans. Prendre conscience de cette distance et chercher à restituer la nature des documents auxquels on a affaire, est une attitude qui respecte davantage la Parole qu'une lecture superficielle qui s'empare du texte avec désinvolture.

Il existe en langue française de bons instruments de travail permettant de se former peu à peu à la lecture de ces vieux documents, si essentiels à la vitalité de notre foi. Les ouvrages suivants sont particulièrement accessibles :

— *Une initiation à la Bible :* Huit fiches pour étudier l'A.T. et seize fiches pour étudier le N.T., publiées conjointement par le service *Évangile et Vie* (6, av. Vavin, 75006 Paris) et le *Centre St-Dominique* (B.P. 110, La Tourette, 69210 L'Arbresle).
— Dans son livre *le Prophète assassiné* (éd. J.-P. Delarge, 1976), H. Cousin a consacré un premier et long chapitre (p. 19-69) au « mécanisme fondamental de la tradition évangélique ». La lecture de ces pages sera des plus utiles à ceux qui débutent dans l'étude des textes du N.T.
— « Cahiers Évangile » n° 16 : *Une initiation à l'analyse structurale.* (La collection de ces Cahiers est de grande qualité.)

Pour permettre au lecteur d'approfondir les textes auxquels je me suis spécialement référé, ou de vérifier l'usage que j'ai fait de l'Écriture, je signale quelques pistes.

— Le récent ouvrage de Ch. Perrot, *Jésus et l'histoire,* coll. « Jésus et Jésus-Christ », Desclée, 1979, est l'œuvre d'un excellent connaisseur du judaïsme palestinien. Avec une méthode très sûre et clairement exposée, l'auteur situe la figure de Jésus Christ dans le contexte juif où elle a pris et conserve sa signification. Cet ouvrage est de grande qualité. Je lui dois beaucoup et m'y suis fréquemment référé. Les mentions que j'en fais rendent cependant mal compte de la finesse des analyses qu'il contient.

— Les titres suivants renvoient à des présentations plus simples de l'itinéraire de Jésus. Elles sont, par le fait même, plus accessibles mais aussi plus schématiques et approximatives, tout en étant de qualité :

• « Cahiers Evangile » n° 8 : *les Miracles de l'Évangile.*

• « Cahiers Évangile » n° 27 : *la Palestine au temps de Jésus* (Ch. SAULNIER, B. ROLLAND).

• « Cahiers Évangile » n° 30 : *Jésus devant sa Passion et sa mort* (M. GOURGUES).

— Il est possible de retrouver les fondements exégétiques des pages consacrées à Pâques, à l'aide des études suivantes (j'ai surtout utilisé la seconde) :

• X. LÉON-DUFOUR, *Résurrection de Jésus et message pascal,* 2e éd., Seuil, 1972.

• J. DELORME, « La résurrection de Jésus dans le langage du Nouveau Testament », parue dans *Le langage de la foi dans l'Ecriture et dans le monde moderne,* Cerf, 1972, p. 101-182.

Les résultats de ces deux travaux ont été présentés avec bonheur par E. CHARPENTIER dans « Cahiers Évangile » n° 3 : *Christ est ressuscité !*

— Une mise en œuvre théologique de ces données est proposée par J. DORÉ dans un article, dont je me suis servi : *La résurrection de Jésus à l'épreuve du discours théologique, Rech. Sc. Rel.,* 65/2, 1977, p. 279-304.

— Quand leurs résultats n'étaient pas dépassés, j'ai mis à profit deux de mes travaux antérieurs :

• *Le cheminement des premières communautés chrétiennes à la découverte de Dieu,* Cerf, 1972 ; ce livre donne des éléments qui complètent les pages consacrées au « Déploiement de la foi pascale ».

• *Créés dans le Christ Jésus,* Cerf, 1966 ; les nombreuses allusions faites à la pensée de Paul, notamment à sa conception du salut, envisagé comme une création nouvelle, trouvent leur justification dans cet ouvrage.

B.R.
Centre Saint-Dominique
L'ARBRESLE
12 juillet 1980

TABLE DES MATIÈRES

Deuxième partie

L'ITINÉRAIRE DES DISCIPLES

Troisième partie

L'ITINÉRAIRE DES CHRÉTIENS

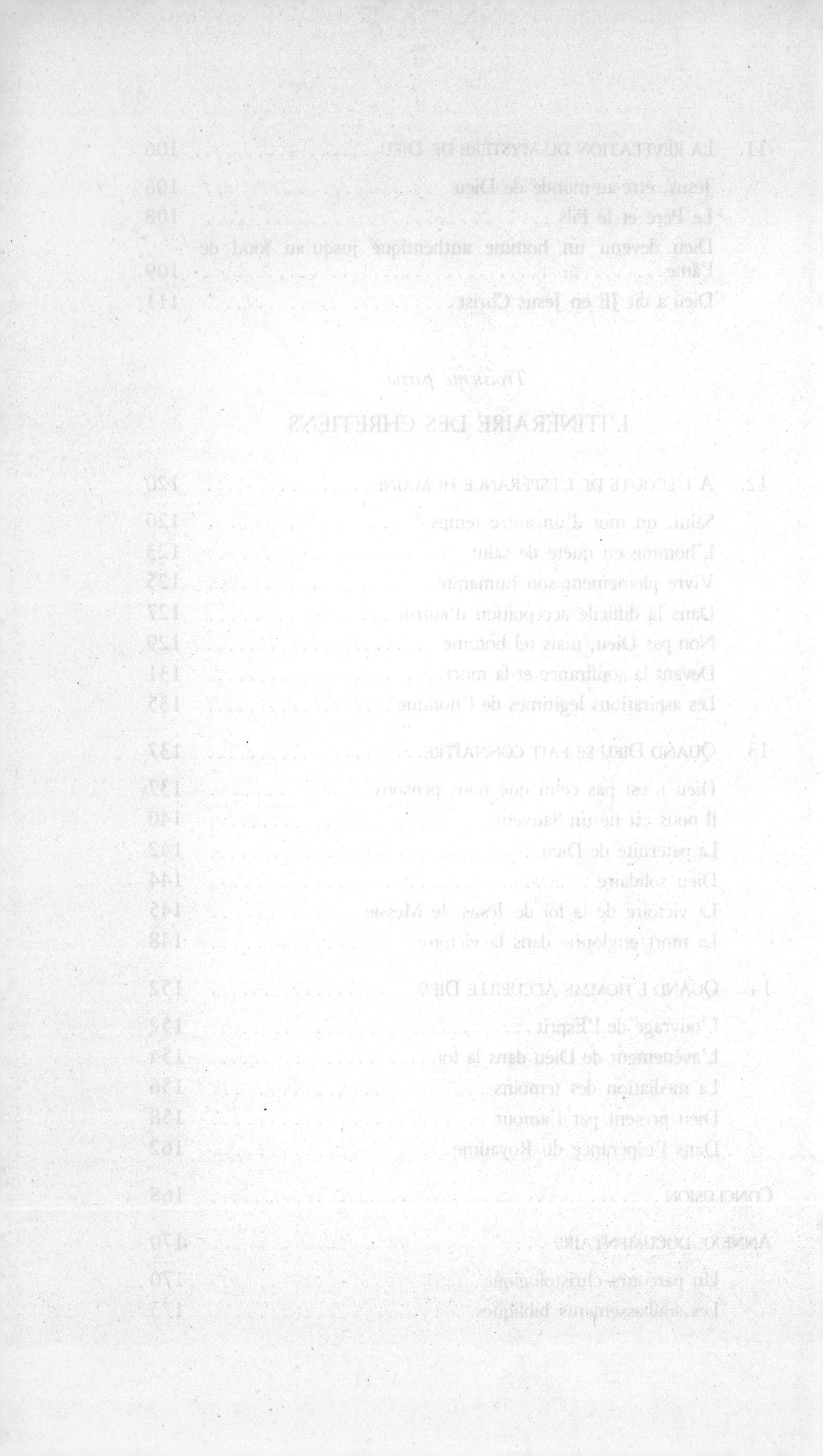

ACHEVÉ D'IMPRIMER PAR
L'IMPRIMERIE CH. CORLET
14110 CONDÉ-SUR-NOIREAU

N° d'Éditeur : 7278
N° d'Imprimeur : 6162
Dépôt légal : 1er trimestre 1981